李國修
戲劇作品集 **04**
Collected Plays of Hugh K.S. Lee

女兒紅

女兒紅 目錄

序

女兒紅

附錄

序

創意達人李國修的創造力歷程

吳靜吉

政大創造力講座主持人／名譽教授

　　李國修劇作集系列套書終於在引頸期盼下出版了。

　　累積二十六年創作及其演出的作品，在整個世界尤其是華人社會特別重視創意、創新和創業精神的創造力之今天，意義非凡。每一部作品都是從創意的發想啟動然後創新實踐地完成劇本寫作，而每一齣戲的製作演出都是創新的冒險，必需經過觀眾、票房和劇評家的重重考驗。在一個多數決策者、社會菁英和一般民眾，並沒有把觀賞舞台劇表演當作文化認同的養份之台灣，考驗更難、冒險更大。

　　李國修構思屏風表演班創團經營二十六年至今，我們可以從他作品中感同身受他創業的酸甜苦辣，所以他說：「一個戲班子在舞台上搬演一齣戲，戲裡戲外都在反映戲台下的人生即景。我喜歡在舞台上藉一個戲班子的故事影射台灣這個社會；我偏好『戲中戲』的題材，因為我始終認為舞台上戲班子的人情世故就是這個時代的縮影。」

李國修是一個創意無限、執行力強的劇作家,每一個劇本的演出,他同時扮演導演和劇團領導人等等的多重角色,和歐、美、日、中、韓不必扮演多重角色的劇作家不同,他卻能在二十六年內完成二十七部劇作而且部部呈現在觀眾眼前。這樣的創作流暢力真的是奇蹟,他每一部作品都是獨創而有意義的創意構思,以《京戲啟示錄》為例,他可以流暢地創意組合「一位堅持做手工戲靴的父親。一個亂世中企圖重振頹勢的戲班子。一段探索父子、傳承、戲劇與人生,令人神往的故事。」這麼多複雜元素的創意組合,他卻成功地將故事敘說得合情合理,令觀眾感同身受而流淚、回憶反思而讚嘆。

　　李國修的作品都能夠重新詮釋自己成長記憶中的生命故事,選擇性地反映社會樣貌,他的自我反思、對社會的關懷、對戲劇的激情、理性和感性兼具的創作表現、對複雜元素的抽絲剝繭再統整發展的素養、舉一反三的學習能力、落實的想像力、忍得住創作的寂寞又能堅持原則、抗拒外在誘惑的毅力樣樣難能可貴,這樣的李國修就是研究創造力的學者專家所描述的創意人。

　　他戲劇的另外一個特色就是悲喜交集的故事發展,他的幽默和笑點的掌握、文字的運用、人物的刻劃和劇情的結構,我們也可以因此稱他為說故事的奇葩。

　　他的創作歷程體現了王國維在《人間詞話》中所謂古今之成大事業、大學問者,必經過三種之境界。

「昨夜西風凋碧樹。獨上高樓，望盡天涯路。」

「衣帶漸寬終不悔，為伊消得人憔悴。」

「眾裡尋他千百度，回頭驀見，那人正在燈火闌珊處。」

台灣戲劇的發展，急需更多的好劇本，只當劇作家很難生存，集編導於一身加上領導一個戲劇團體又能在二十六年中創造二十七部好劇本實在難上加難，但李國修做到了。希望這二十七部的劇作集能夠讓華語的戲劇界增添演出選擇的機會和戲劇教育中學習探究的教材。

經典堆疊起一座
如高牆的屏風

廖瑞銘

中山醫學大學台灣語文學系教授兼通識中心主任

　　「國修要出劇本全集了！」這是台灣現代劇場的盛事，也是文學史上的大事。二十六年來，屏風表演班每年發表一至二齣新作，建立「以戲養戲」的營運模式，2005年以後，更以舊作做經典定目劇場的演出，為台灣現代劇場史創下許多傳奇的記錄——單一劇團演出總場次之多，累積觀眾人次之多，劇作重演次數之多，最重要的是集編導演於一身的單一劇作家創作量之多——這些記錄使屏風／李國修成為台灣劇場活動中的佼佼者。

　　李國修劇作從初期的小劇場實驗劇、小說改編的劇作發展到大劇場寫實劇，作品的題材、形式及風格都有不斷地突破與創新。總的來說，國修的劇作有以下幾項成就，這些成就堆疊起來一座如高牆的屏風，格局壯麗雄偉，戲劇風格辨識度極高，讓後來者很難超越，更無從模仿。

一、與時代同步發展，與觀眾沉浸在共同的歷史情境，關懷國族與土地。

　　李國修堅持原創實驗、本土庶民的創作精神，每一齣作品都是台灣現代人民生命歷史的記錄。早期「備忘錄系列」——《民國76備忘錄》、《民國78備忘錄》以年度時事做素材，「三人行不行系列」——《三人行不行I》、《三人行不行II—城市之慌》、《三人行不行III—OH！三岔口》、《三人行不行IV—長期玩命》、《三人行不行V—空城狀態》等，是從時事及城市現象觀察出發，講當代台灣人的政治、社會態度。《我妹妹》講眷村故事、《蟬》講六〇年代台北文藝青年、《女兒紅》及《京戲啟示錄》講經歷1949年國共變局的家族故事、《六義幫》回憶六〇年代中華商場的兒時情境、《西出陽關》講老兵的故事，《救國株式會社》諷刺台北的治安、媒體，《太平天國》講台灣人在世紀末的恐慌與焦慮。

二、創造戲劇角色典型，精確掌握人性。

　　李國修在每一齣戲都創造各式各樣的角色典型，藉著這些典型來舖排人世間的親情、愛情與人情義理。這些典型的角色也都是你我生活週遭常見人物的寫照，像《三人行不行III—OH！三岔口》的郭父，是常見的台灣歐吉桑，講求實際利益、又有情有義；他的女婿Peter就是十足投機的年輕商人。《西出陽關》的老齊是戰後到台灣的老兵典型。《徵婚啟事》講到更多台灣寂寞男人的典型。創造這些角色典型，顯示國修對於人性掌握的精確、細微。

三、精巧建構「李氏戲劇結構學」，穿越時空。

　　李國修在每一齣劇本都附上獨特的場次、角色結構表，這可以說是他的獨門絕學——「李氏戲劇結構學」。這種精巧建構的「劇場結構」成就了李國修劇作的劇場形式不斷地實驗與創新，戲劇情節可以在不同的時空靈活流動、穿越，增加戲劇張力與敘事多樣性。

四、編導演一體成型的全方位戲劇藝術，劇本有畫面，是一座紙上舞台。

　　李國修劇作的另一個特色是「編導合一的戲劇創作觀」，他的劇本絕對不會是單純的書齋劇，每一本都具有劇場可演性，而且都是自己擔綱演出過。也因此，國修在劇作中不時表達他對劇場生態的關懷及經營劇團的甘苦經驗。像「風屏劇團系列」多次呈現經營劇團的困境；《徵婚啟事》也是鑲進「某劇團」的排演過程，以增加戲劇張力。

五、走出書齋，與觀眾同喜同悲，超越商業票房意義。

　　雖然屏風曾經有票房悽慘，甚至出現經營危機的時候，但是，大部份的演出都是有亮麗的票房記錄，說明李國修的劇作所具有的商業魅力。這種魅力更精確的解讀是，李國修每一齣劇作都能夠走出書齋，與觀眾同喜同悲。李國修隨時與觀眾做時代對話，即使是舊作重演，都一定要與時俱進的修改後，才推出演出。

六、多語言的戲劇美學，突顯台灣多元文化的特色。

因為每一齣戲都從實際生活中取材，創造不同的角色典型，李國修堅持讓角色自己說話，所以，在他的劇作中自然出現多語言的對白，有國語、閩南語、客語、山東話、上海話、英語、日語、香港廣東話、新加坡華語……等，不但使得劇中角色鮮活、增加戲劇趣味性，也無意中突顯了台灣多元文化的特色。

七、台灣文學與戲劇的交會，豐富台灣文學史的戲劇區塊。

李國修崛起於八〇年代中期，其戲劇作品一定程度反映了台灣的土地與人民，延展出的多面性與時代意義，不僅提供外省族群在台灣生活的觀察視角，也使作品成為帶有「本土化」色彩的另類歷史文本。尤其是李國修的作品相當程度擺脫了戰後台灣外省人文學常有的哀愁基調，相對展現出不同的意義格外值得我們重視。

將李國修的劇作放進台灣文學領域來觀察，可以為戲劇文學創作開創新的閱讀視野，值得一提的是，李國修曾經從三本不同時代的台灣小說作品——林懷民的《蟬》、陳玉慧的《徵婚啟事》及張大春的《我妹妹》——改編成舞台劇上演，創造了戰後台灣文學與戲劇的交會，同時豐富了台灣文學史的戲劇區塊。

李國修的作品曾經以戲劇文學的身份被放入台灣文學的領域來討論，並獲得肯定，在 1997 年以《三人行不行》系列作品獲頒第三屆巫永福文學獎，也因此使戲劇文學連帶受到重視，提昇了地位。如今，李國修出版劇作全集，充分展現了他在戲劇創作的質與量的驚人成就，可以當做台灣現代劇場運動的實踐成果，看到他在台灣劇場史的地位，也驚艷台灣戲劇文學的經典呈現。

手心會冒汗

李國修

自序

從來沒有人教我如何寫劇本

1986年10月6日,屏風表演班創建。

創團作品——《1812與某種演出》一齣肢體語言實驗劇,在我規劃與引導之下的集體創作。當時的社會環境與氛圍,小劇場創作必須有別於商業劇場,我也依循著前人的模式,自以為是地繼承了實驗劇場的精神。一、脫離一切戲劇形式(不在劇場裡說故事)。二、表達新的戲劇方法(簡約、抽象、或寫意的語言、肢體與主題)。三、過程大於結果(支離破碎的思想、浮光掠影的想像、漫無邊際的形式)。四、只要盡興(創作者自我滿足與集體自我陶醉)。

在實驗的大旗下,《1812與某種演出》首演五個場次,約五百人次觀賞,我確定沒有一個人看懂這齣戲。事實上它不是一齣戲,它由兩個部份組成。《1812》用柴可夫斯基〈1812序曲〉為背景音樂,以集體肢體演繹在城市裡有著一股壓抑著現代人生存的隱形暴力,讓人喘不過氣。《某種演出》採擷了三

個歷史殘篇——〈三娘教子〉、〈十八相送〉、〈十二金牌〉在同一時空壓縮並陳，旨在陳述城市中處處充滿不安的危機、殺機與轉機。

我必須承認，我有包袱，一開始我以為做劇場就該承接前人的使命——劇場是嚴肅的、劇場是深沈的、劇場是探索思想的殿堂、劇場是不能提供娛樂的殿堂、劇場是與觀眾鬥智的場域、劇場是不能做讓觀眾看得懂戲的場域、劇場是批判政治亂象的最後一塊淨土……於是，那個年代小劇場的作品內容多半都是嚴肅、沈悶、闡述思想、批判政治、嘲諷時事。有些作品內容甚至已經漫無主題，不知所云。是的，我也承接了這樣的包袱。

創團作品首演之後，我必須承認我很沮喪。我問自己，為什麼要在劇場做戲？為什麼要在劇場做一齣讓觀眾看不懂的戲？看著觀眾搖頭嘆息地走出劇場，我的心情是低落的、不安的、自責的……

我有勇氣寫劇本

在那個年代，我找不到一個劇本書寫格式的範例，也找不到關於編劇技巧的工具書，我只能硬著頭皮鼓足勇氣，走進書房攤開稿紙，寫了屏風第二回作品《婚前信行為》。我想像即將新婚的妻子在婚前去找他的前男友，最後一次求歡以結束這段難忘的戀情。不巧，前男友的老友來送喜帖，赫然發現他的新嫁娘也在現場。藉著這個作品，我試著向實驗劇場劃清界

線。我要說一個故事，我以為觀眾進劇場，至少他們可以看見一個故事，一個可能與他成長經歷有關的故事。但我承認我還有包袱，我似乎不由自主地在戲裡灌進了一點故作批判社會的主題。在故事中，我刻意讓準新娘在中途脫離劇情，硬逼兩位男主角對社會不公不義現象表態，演出因而暫停，劇情因此而停滯。

三個演員不能解決與本劇無關的社會亂象，最終他們還是回到劇情裡演完了他們的故事。《婚前信行為》發表之後，我依然忐忑不安，我知道，我的故事說的並不完整，劇中的角色並不真實可信。

其實我不擅長說故事

1982年～1984年，我在華視，小燕姐（張小燕）主持的《綜藝100》演短劇，也編劇，1985年，我與顧寶明合作《消遣劇場》綜藝節目，身兼短劇編導演，這樣的背景；是我在屏風創作喜劇的養分，有其優點也有缺點。

優點是，我的喜劇就是很好笑，我有瘋狂的想像力，我有許多荒謬的點子，我喜歡運用各種看似平淡無奇的元素重組成充滿趣味與諧謔的喜劇情境。缺點是，沒有深度，主題薄弱，人物缺少靈魂、思想、慾望甚至目標。屏風第三回作品《三人行不行I》、第五回作品《民國76備忘錄》、第六回作品《西出陽關》、第七回作品《沒有我的戲》、第九回作品《三人行不行II—城市之慌》、第十三回作品《民國78備忘錄》等，

在屏風創團的前三年，不難發現都是短劇集結的作品，他們共通點是──每一齣戲都沒有一個完整的故事。坦白說，我還不知道如何組織一個好故事，我還沒有能力說一個超過兩小時的長篇故事，創團前三年我只能發揮編導喜劇的專長，在小劇場裡搬演，也戲稱自己在小劇場裡練功。我練導演功，也練編劇功。在小劇場裡，我的導演調度處理過一面觀眾席，兩面觀眾席，三面觀眾席。在編劇部份，我不斷地探索喜劇的可能性，演員面對角色創造的最大極限。於是在一齣戲裡，一人飾演多角，成為我作品的特色，在編劇技巧的自我修練中，竟也無心插柳地走出自己的風格。

其中，最令我自豪的部份是──堅持原創。我認為選擇一個翻譯劇本演出，是便宜行事，是二手創作。我自信創作的素材就在身邊，就在自己腳踩著的這片土地上。

自由自在的飛

我是摩羯座，我很守法，我很守規則。做任何事之前，我總想知道規則是什麼？遊戲怎麼玩？在遊戲中的危險程度是什麼？遊樂場到底有多大？當我熟悉了整個遊樂場的環境，我玩遍了所有的遊戲，我深入瞭解了規則的原理之後，我成為最不守規則的人。我決定自闢一個遊樂場，建立起自己的規則，我邀請大家進入我的遊樂場展開一場驚奇的旅程。

我破壞了規則，建立自己的規則，在我的作品中，逐漸顯現我人格上這樣的特質。誰規定劇本創作，只能獨立成個

體？我硬是創作了《三人行不行》系列，第一～五集；風屏劇團系列，三部曲加李修國外傳《女兒紅》；誰規定在劇場的演出結束後，才能謝幕？我在《莎姆雷特》裡硬是把謝幕放在戲的開始。誰規定鏡框式的舞台就該墨守成規，框架成一個場景情境的場域，我在《六義幫》裡就要去除兩邊的翼幕，讓故事在舞台上任意穿梭。魔羯就是這樣——認識規則，遵守規則，破壞規則，建立自己的規則。目的只有一個字——「飛」！自由自在地飛！

小劇場是大劇場的上游

第十一回作品《半里長城》，是屏風創團兩年半之後，首度登上大劇場的作品。《半里長城》風屏劇團首部曲，這齣戲中戲裡有兩個故事，一是風屏劇團團員的分崩離析、兒女私情；一是呂不韋由商從政的稗官野史。劇本的結構原型部份靈感源自於《沒有我的戲》。兩齣風格、內容、形式完全不相同的作品，都是在演出進行過半之後，竟宣告全劇將正式開演。是的，我在小劇場練功，累積了我躍上大劇場創作的養分，我鍾情於小劇情的無拘無束，我想念在小劇場裡拚鬥的日子。

回憶起童年，記得在小學三年級，某一個週日，我好奇地拆開了一只鬧鐘，我想研究內部的機械構造究竟是什麼樣的零組件，可以讓分針、時針移動，還會響鈴？一個下午將近五個小時。最終，我無法組裝成原樣，桌子上多了一些小齒輪、彈簧片。我知道這只鬧鐘不會再響，第二天上學也足足遲到一

個小時。兩個禮拜之後，我再度拆開那只鬧鐘，我不相信它會毀在我的手裡。同樣也是五個小時，少年的我，才知道「皇天不負苦心人」這句話的真諦。鬧鐘復活了，只是響鈴的聲音比從前的音量低了一倍，我深深地憶起當時在組裝時手心不停地冒汗。

完成了《半里長城》裡的《萬里長城》劇本時，我知道我不會讓戲就這麼平鋪直述的演完，我不安分，我不守規則，我在書房裡，想像讓自己回到了小劇場，讓自己回到了童年，我要無拘無束，我要拆鬧鐘，我十分用力地拆解了《萬里長城》的劇本，重新組裝成情境喜劇《半里長城》。我努力地找到了自己編劇的方法，找到了自己說故事的方式，我越來越喜歡把簡單的人事景物情搞成複雜的結構，原來和我童年拆鬧鐘的個性相關。

什麼先行？

我深信一個好的戲劇作品，應該具備四個精神：一、對人心現象的呈現及反省。二、對人性的批判或闡揚。三、對人性的挖掘及程度。四、技巧與形式的講究。

在我面對每一個作品創作前，一定會有一個念頭閃過腦海──什麼先行？也可以說原始靈感來自何方？是感動？是一首歌？一幅畫？一種情境？……我的每一齣戲靈感來源都不盡相同，在創作每一齣戲隨著年歲閱歷的增長，所投入的情感也越加濃郁，從創作中也逐漸梳理出自己的信仰。每齣戲有了

靈感之後，會問自己兩個問題：一、為什麼要寫這齣戲？二、這齣戲跟這個時代有什麼關係？這幾年我更聚焦在作品裡呈現生命的故事……

述說生命的故事

　　1996年屏風十週年推出《京戲啟示錄》是我創作旅程中的轉捩點作品。平心而論，在《京》戲之前我的作品多是純屬虛構，純賴想像力完成的故事，直至四十而不惑的我，才驀然回首我的前半生，尤其在屏風那十年裡，我僅只是透過作品表達我對生活的看法及態度，也可以說那些作品故事鮮少涉及我自身成長經驗。

　　創立屏風後，我攜家帶眷、拉班走唱了十年，回首故往，泫然淚如雨下。原來，作劇場的那股拼鬥的傻勁，全是源自於我父親對我的影響，我感受到了那股傳承的精神與壓力。我坦然自省，我勇敢面對，懷著虔誠與虛心的態度，我認真地面對了「生命」，我開始意識到了生命的可貴、傳承的意義以及堅持地走自己的路是面對人生唯一的執著！在《京戲》劇本落筆之前，我哭掉了兩盒面紙，我也預知多年以後，我將為母親寫一個故事《女兒紅》。自《京戲啟示錄》以後，我也開始學會在舞台上更深刻地呈現生命的故事。

　　當我在組合鬧鐘，我相信鬧鐘會讓我修復的時候，我的手心會冒汗；當我落筆寫下讓我悸動不已的劇本時，我的手心也會不斷地冒汗。這些劇本是：《西出陽關》、《京戲啟示

錄》、《三人行不行IV—長期玩命》、《我妹妹》、《婚外信行為》、《北極之光》、《女兒紅》、《好色奇男子》、《六義幫》。

2013年，屏風表演班將邁入第二十七年，踏過了四分之一世紀。

感謝印刻協力集結了我二十七個劇本，將之付梓面世。

感謝父母給了我生命，

感謝王月、Sven、妹子和我的家人，

感謝吳靜吉、張小燕、林懷民、陳玉慧、張大春、

廖瑞銘、紀蔚然，

感謝指導、協助我創作的親朋好友，

感謝在我劇本裡出現的每一個人物。

如果你要問我，在這廿七個劇本裡，

你最滿意的作品是那一個？

我的回答，從來沒有改變過——

「我最滿意的作品是 下一個！」

女兒紅

女兒紅

14 還金簪

走進回憶裡的修國對少年修國說：「你問過媽媽，你說：『媽！妳有五個小孩，妳最疼哪一個？』記得嗎！？媽媽伸出一雙手，她說：『我有十個手指頭，咬哪一個都痛。』」

編導的話

一段尋找生命安定的旅程　　李國修

陳年女兒紅

常常有人以為《女兒紅》是一個跟酒有關的故事。

我必須說，這是個美麗的誤會。不過，《女兒紅》的創作過程確實就像是一罈埋在地底下的陳年老酒一樣，必須經過歲月的積累，才能醞釀出其中的濃醇香。

許多朋友都知道我的創作習慣：「先有劇名，再有演員，後有劇本。」因此，我在創作前期「起心動念」後，會先選定題材，接下來故事發想就從劇名開始，再依演員的特質塑造腳色，最後才組織成一個完整的故事。其實這齣戲最早的劇名是《陳年女兒紅》，但在幾經與王月討論之後，覺得劇名太長，不夠簡單直接，才又改名為《女兒紅》。

目前為止，《女兒紅》是我構思最久的劇本，從一九九六年《京戲啟示錄》終演場拆台時，我便尋思寫一個關於我母親的故事，這個念頭在我心裡一放就是七年。終於在二〇〇三年的夏天，我在千頭萬緒百感交集的心情之下完成了《女兒

紅》。但其實這也是我寫過最快的劇本，從我落筆寫第一個字開始，到我寫完「全劇終」三個字總共不過花了十四天。

在這兩個禮拜中，我的創作思緒在童年往事與史料典籍中飛快地穿梭。一開始只想聚焦寫一個人，最後編織出來的故事卻如此龐大；我本來只想去追溯我們家族的歷史，卻無意間挖出一小段中國近代史。成長經驗中「父親」與「母親」的形象在我的作品中一直是缺席的，然而，我今日卻慶幸沒有在太年輕的時候就去碰觸這個沉重的題材。「養兒方知父母恩」，有許多事情是必須要經過歲月裡的悲歡離合、經歷不同的角色扮演，才能體會箇中的滋味。現在看來，我對母親長期的情感壓抑成為一種醞釀，在這段醞釀的過程當中，我從我兒女的身上看到了當年的我，又從我的身上看到了當年的父母。到了今日，雖然物變景遷、人事皆非，那股埋藏在深處的情感卻變得更濃醇，參雜著澎湃的思緒，化成這齣陳年的《女兒紅》。

失落的母語

身為一個「外省人」的第二代，我一直在找一個切入的角度來說外省人在台灣的故事。

隨著時局的變遷、政策的沿革，母語的失落成為一種普遍的文化現象。曾幾何時國語（普通話）成為社會的主流語言，當我們用方言說話、用鄉音發聲時，就會有種自我矮化，自我邊緣化的感覺，唯一能讓我們能夠心理平衡的說法就是：

「講母語比較親切」。當然，在現今全球化的趨勢下，相對的也產生另外一股反作用力——「本土化」出來與之抗衡。不過，在台灣我們越是去強調本土化，越是突顯主體認同的危機。在這混亂的局勢下，母語的提倡對於老一輩的人最多只能是「喚醒」，對於年輕的一輩最多只能是「提醒」，很難完全復原原來的語言生態。

在《女兒紅》的文本裡，我使用了許多方言，更在人物的台詞中穿插了許多諺語俚語，這些語言的運用來自於我對生活的真實觀察。母語的精華通常在諺語、俚語裡被保留了下來，在這些簡短的一兩句話中，其實就可以窺見一個族群的集體思維、集體價值觀。語言的背後是先人的生活態度與生活智慧，我們甚至可以從這些俗諺中去溫習先人的生活方式。

《女兒紅》講的是一個尋根的故事，尋的是家族的根，尋的也是文化的根。我每次在台上透過角色的口中演出說山東話時，心裡就會有種莫名的驕傲——我用我的母語講我家鄉的故事。當然，其他的方言也經常在我的創作中出現，國語或許是官方的正統語言，但在民間並無所謂正統不正統的問題，民間的語言只有所謂道地不道地。《女兒紅》寫的是庶民的記憶，談的是庶民的歷史，就應該用庶民的語言。

意識流裡的漩渦

在中華商場那段成長的記憶對於我在創作《女兒紅》時有

兩個很大的影響，第一個影響在〈母親的背影〉一文中，我已提過母親因思鄉導致精神神經病（現稱憂鬱症）。她足足有十年的時間，沒有跨出家裡的大門。在這段時間裡我的自卑感壓抑了我對母親的情感，我幾乎不敢在同學前提到我的母親，而這種愧疚讓我想透過創作來完成自我救贖。

第二個影響是我在中華商場的青少年時期，因為地利之便，在西門町看了上千部的電影。於是電影裡畫面與畫面之間的融接，流動快速的節奏，成為了我熟悉的敘事語法。

《女兒紅》是一個迴旋型的敘事結構，一下直敘，一下倒敘，一下子又掉進回憶裡的回憶。敘事觀點一直在換，時而是修國，時而是母親，時而是修國的大姐，時而是佑珊的母親，時而是客家的阿婆，隨著主述觀點的改變，場景也一直在流動，投影畫面一直在轉換，時間橫跨六十年，其實整個故事是發生在同一天。不同腳色的陳述，其實是在構築同一個故事——一段在尋找生命安定的旅程。這種「意識流」的跳躍敘事風格，讓我的筆觸可以任意地在時間軸上游移，空間與時間的調度有很大的創作彈性，電影語法的場景流動成為我作品的基調。

中華商場的長廊對這齣戲來說，就像是一條時光隧道，劇中李修國走進隧道踏上長廊，就彷彿掉入了自我回憶的深處，那裡曾是他最恐懼、卻也是現在最想回去的地方，自我的深沉對話與嚴峻的詰問，早已讓時空凝結在那一刻，那裡就像

是意識流裡的漩渦，所有的思緒只要到了中華商場的長廊就開始糾結，那深邃暗闃的甬道永遠迴盪著母親吟唱的聲響，無法逃避的他必須赤裸地、誠實地面對自己的情感。「你愛媽媽嗎？」，這麼一句簡單直接的話語，卻冷冽地像是一把冰鑿往李修國的心裡刺。

《女兒紅》裡所有的情節背後都暗藏著同樣一個相同的主題，故事裡的人物關係與事件編排雖龐雜，彼此卻都能夠找的到關連。例如故事進行到客家庄的部分，展雄在計程車上撿到了骨灰罈和棄嬰，這是多麼荒謬可笑的事件，但同時這也暗喻著：現代社會裡的我們是否都已遺忘了祖先的歷史？是否對於生命的傳承已經麻痺無感？但在文本裡卻又因為敘事觀點不停地在浮動，場景的編排沒有序度，使得整個文本有一種「不穩定性」。外在的敘述主體一直在變動，內在的命題則始終如一，《女兒紅》故事的內在與外在時而緊密結合、時而遙相呼應，這種「不穩定性」的敘述，或許也與整個故事處於動盪、遷徙的時代背景暗合，在不同角色的語言拼湊之下，完成了一部在台灣落地生根的家譜。

敘事的技巧雖繁複，但我相信「說什麼」比「怎麼說」更重要！《女兒紅》雖是將我的母親真實故事改編，但我並非是要向大家介紹我們家族的歷史。反之，我知道這個題材可能觸碰到觀眾內心兩個部分，第一個是觀眾看戲時可能會自我投射與母親的關係，第二個就是台灣人的「根」到底在哪裡？政局

的紛亂與意識型態的鬥爭讓我們在口水戰中，對於自己的根在哪裡好像越來越清晰，但其實我們卻越來越模糊、困惑。我思索著，在歷史的分野裡，每個朝代的興衰都可以找到明確的斷代年份，但是文化的脈絡卻無法因為政局的阻隔而一刀兩斷，「符號政治」的分化只會激起更多的族群對立，我們是否還有必要去為「什麼才叫做愛台灣」下定義？

　　現在的我們已經習慣了安定與和平，但近年來紛擾的局勢讓我不禁想起劇中佑珊對修國說的一句話：「在台灣上了船，還能逃到那裡？」

（載自2006年10月屏風表演班《女兒紅》撼動版演出節目冊）

劇本閱讀說明

《女兒紅》
劇本內容由以下幾個部分組成：

1、場次說明

說明各場次的時間、場景、角色。

2、舞台指示

2.1　以△或（　）表示。舞台劇場技術性調度之指示，如投影字幕、燈亮／暗、燈光變化、中場休息、佈景升降等。

2.2　劇本中，描述場景空間之舞台左、右側，係以觀眾（或讀者）面對舞台之左、右方向為準。

3、演員戲劇動作與情緒指示

3.1　以△表示。場上演員主要戲劇動作之指示，例如上、下

場、拍照、喝水、舉旗等戲劇動作。

3.2 以（ ）表示，為演員於台詞進行中所表現的戲劇動作或演員表達角色情緒時的參考建議，例如（憤怒地）、（驚慌地）、（無奈地）。

4、舞台技術

本劇多次於舞台前緣使用巨型白紗幕（長16公尺、高10公尺、面積約600吋），如大幕般遮蓋整個舞台鏡框，可於其上投影影像與文字。白紗幕透過舞台器械操控，可自由升降，當舞台上燈光亮起，白紗幕影像將呈現半透明狀態，觀眾可同時看見演員的戲劇動作與平面影像，呈現出疊影的視覺效果。

5、備註

以上劇本內容之註明與各項指示皆為方便讀者閱讀，若有表演團體或戲劇相關科系欲以《女兒紅》為演出劇本，需經取得演出同意權後，則可視排練情形，調整舞台上的戲劇動作或重新詮釋演員情緒。

版本說明

前言：

　　李國修劇作集中，共有13齣戲列為定目劇本。所謂「定目劇」的英文是「Repertory Theatre」，原意是指一個劇團的「招牌劇目」，隨時可以供人點戲，然後安排表演。但是在現代的意義上，「定目劇」卻多了一個製作層面的概念。它是指將具備普及性、永恆性、與高度被接受性的經典劇目，製作並進行定點的長期演出，或每隔一段時間，進行週期性的重製演出。然而在台灣，表演藝術團體屬於非營利組織，目前並未發展出類似百老匯「長期定點」的商業劇場規模，但仍會定期推出具有代表性「定目劇」，並進行巡迴展演。而這些「定目劇」不僅代表一個藝術團體的創作精神，也維持了劇團的生存與穩定發展。

　　每一定目劇作品初次發表演出皆定名為「首演版」，例如：1996年推出《京戲啟示錄》首演版。爾後因重製當時之時間、空間、與社會時事，針對部分劇情、劇場美學等稍作內容的調整，並增列該劇目的版本名稱做為分類。不同版本的故事，在情節與架構上並不會有大篇幅異動，版本主要是用來辨

別不同年份之演出記錄，例如：2000年推出《京戲啟示錄》經典版、2007年推出《京戲啟示錄》典藏版。

李國修定目劇作品如下：

《京戲啟示錄》、《女兒紅》、《莎姆雷特》、《半里長城》、《徵婚啟事》、《西出陽關》、《婚外信行為》、《三人行不行I》、《三人行不行III—OH！三岔口》、《我妹妹》、《救國株式會社》、《北極之光》、《六義幫》，共計13本。

關於《女兒紅》

首演版於2003年10月31日至12月6日，全台巡迴演出；2006年10月6號至12月3日再度推出撼動版；2012年3月30日至5月27日推出深情版。因考量故事結構的嚴謹性與時宜性，故《女兒紅》選定撼動版為出版劇本。

劇情簡介

　　結束上一檔戲《梁家班》的演出後，風屏劇團團長李修國面臨了個人危機。眼看劇團收入難以養家，妻子佑珊又已懷胎八月，面對人生的下一個階段，修國惴惴不安。就在此時，修國偶然發現一份舊家的戶籍資料，他產生了一股尋根溯源的衝動。

　　在修國的記憶中，患有精神病的母親始終坐在床上，足不出戶，這件事也成為他少年時期最感羞恥的印記。修國鍥而不捨地追問大姐，一一挖掘出當年自己錯過的那些往事：母親王翠英，原為山東富戶之女。當年在山東老家，本應是母親之妹翠玉要許配給父親，但因翠玉與說書人愛民私奔，父親只好心不甘情不願地娶了代嫁的母親。這樣的姻緣錯配在修國父母心中埋下了心結，在李家遷台之後，母親一直懷疑李父有外遇，最後抑鬱成疾，再也不肯下床半步。數年後，母親因癌症病逝。

修國在母親的經歷中釐清自己的生命脈絡，同時，他也陪妻子佑珊回到屏東老家，瞭解妻子的生命經驗，如父親的失蹤、母親對客家戲的熱愛、及阿婆成為童養媳的故事……等，在這些追索的過程裡，修國夫妻找到屬於自己的答案，產生攜手面對未來的勇氣。

　　最後，修國與佑珊唸著大姐為母親寫的祭文，修國彷彿看見母親穿著大紅嫁衣，從轎子裡走進中華商場舊家的大床上，母親最常唱的那首兒歌〈清藍藍的河〉又在耳邊響起。在笑與淚中，這些小人物的故事見證了──時代的苦難會結束，而苦難中成長的生命，最終都會找到安身立命的終點。

場次結構表

時空設定			李國修	楊麗音	楊淇	萬芳
場次	時間	場景				
序場 / 家鄉	幻境	幻境			母親	
S1 / 悔婚	2003年10月25日	修國家	修國			大姐
	1966年7月24日		(修國)		母親	大姐
S2 / 扮新娘	1931年3月7日	村市集	(修國)	娘親	母親	(大姐)
S3 / 開金扇	2003年10月31日	三合院	修國			阿婆
S4 / 私奔	1931年9月18日	村市集		娘親	母親	
S5 / 清算	1947年11月15日	村市集	(修國)	娘親	母親	(大姐)
S6 / 轉原鄉	2003年10月31日	三合院	修國			阿婆
	1966年9月30日	廟口戲台		客家戲演員		
S7 / 夜奔	1949年5月30日	村市集	李父		母親	
S8 / 勞軍	1951年5月18日	山林曠野				
中 場						
S9 / 抓俘虜	1951年5月18日	前線營區			秧歌舞者	秧歌舞者
S10 / 婚嫁	1963年4月24日	長廊	(修國)			大姐
	1966年7月25日		李父			大姐
S11 / 迎娶	1931年12月30日	村市集	李父	娘親	母親	
S12 / 外遇	1967年12月30日	修國家	李父		母親	大姐
S13 / 族譜	2003年10月31日	三合院	修國			阿婆
S14 / 還金簪	1973年3月7日	長廊	(修國)		母親	大姐
	1973年3月8日		(修國)		(母親)	
S15 / 老家	1974年3月7日	修國家	李父			大姐
尾聲 / 家譜	現在／幻境	修國家／花轎	修國	(娘親)	(母親)	(大姐)

演員										
朱德剛	顏嘉樂	劉珊珊	舒敞	謝小玲	狄志杰	邱逸峰	葉天倫	蘇育玄	黃浩詠	群眾
角色										
							轎夫		轎夫	
		宜幸								
		（宜幸）				少年修國				
愛民	翠玉	（宜幸）	劉祕書		〈武松〉		〈轎夫〉		〈轎夫〉	群眾三十人
		宜幸		蕭母	展雄			小雲		
愛民	翠玉									
愛民	翠玉	（宜幸）	劉祕書	村民	共軍	黨幹部	共軍	村民	黨幹部	共軍十人村民七十人三名幼童
		宜幸		蕭母	展雄			小雲		
便衣	客家戲演員					便衣	便衣		蕭父	
			劉祕書							三名幼童
愛民	翠玉	志願軍		志願軍	志願軍	志願軍	崔連長	志願軍	志願軍	志願軍十人
休息										
愛民	翠玉	秧歌舞者		秧歌舞者	秧歌舞者	秧歌舞者	崔連長	秧歌舞者	秧歌舞者	志願軍八十人
						少年修國	張醫師			
	小妹		劉祕書	伴娘	二哥	少年修國	大哥	伴娘	姐夫	
	轎花堂隊	轎花堂隊	劉祕書	轎花堂隊	轎花堂隊	轎花堂隊	轎夫	轎花堂隊	轎夫	
			劉祕書			少年修國		楊小姐	姐夫	
		宜幸		蕭母	展雄			小雲		
愛民						青年修國				
						青年修國				
			劉祕書			青年修國				
	（翠玉）	宜幸				青年修國	（轎夫）		（轎夫）	

※備註：（）內代表非屬該時空之人物，如往事旁觀者，或是隨回憶衍生的人物幻象。
　　　〈〉則代表戲中戲之角色人物。

45

序場

家鄉

時間：

無。

場景：

幻境，舞台左側置一小戲台。

角色：

母親、轎夫甲、乙。

△　大幕前降一白紗幕。

△　大幕開啟前，白紗幕上投影一段黑白影片，內容乃是從各角度觀看中華商場舊景，以及商場週遭行人車馬川流不息的樣子。

△　蒼涼的嗩吶配樂中，大幕緩緩開啟。

△　場燈漸亮。

母親：（OS，唱〈清藍藍的河〉）「誰不說俺家鄉好，就像那長流水呀，奔騰永向前——」

△　燈光亮起，舞台上的場景漸漸浮現。轎夫甲、乙扛著一頂花轎，晃悠悠地走上。

△　在母親的歌聲中，白紗幕投影結束，轎夫們行經小戲台，小戲台處燈光亮起。母親的歌聲漸漸轉為熱鬧的婚禮鼓吹嗩吶樂聲，又再轉為竹板快書的節奏聲。轎夫扛著花轎，自舞台右側下。

△　燈漸暗。

S1

悔婚

時間：

（今）2003年10月25日。

（昔）1966年7月24日星期日，晚上八時。

場景：

（今）修國回憶中的家門口。一座木門矗立在舞台中央，款式為台灣早期常見的仿日式橫拉木門，門分四扇，褐色板身，上半部嵌毛玻璃，居中兩扇門可拉開。

（昔）修國家室內一景。木門在舞台左側，木門左側是室外，木門右側是客廳，有木桌、壁櫃、五斗櫃；客廳右側為臥室。臥室內由左至右依序設置一梳妝台、一木櫃、一木床，床內側掛著蚊帳，床旁有一扇窗。床邊另有一小木梯，可通往修國睡的小閣樓。

角色：

修國、佑珊、大姐。母親、少年大姐、少年修國。

△　火車行進聲。

△　白紗幕上投影。影片內容是高樓林立、車流不息的現代街景。稍頃，投影畫面轉換成一段自台北市小南門城樓沿中華路車行至中華商場原址的連續畫面，彷彿有人正開著車，一路尋覓回去。畫面上只見車窗外的風景緩緩移動著。

△　投影畫面還在進行，燈漸亮，觀眾可看見白紗幕後修國、佑珊、修國大姐三人依序就定位。修國大姐與佑珊分據左右兩側，面對面站著，佑珊已懷有八個月身孕，大腹便便。修國站在舞台中央，身後是修國回憶中的家門。

△　白紗幕投影畫面為兩張中華商場舊建築群未拆除前的舊照片。隨著接下來的對話，鏡頭逐漸拉近，最後聚焦於該建物二樓。

修國：（對大姐說）我記得在二重埔家門前有一條小溪，我帶她去看那條小溪。

佑珊：（對大姐補充小溪的現況）上面蓋滿了房子。

修國：然後我帶她去五谷王北街三十四號——

佑珊：（補充）現在已經是一家雜貨店了。

修國：（笑）我站在那家雜貨店門口，指著那塊地，我和她說這裡就是我——一個偉人的出生地……

佑珊：一個偉人？

修國：（開完笑地）一個萎縮的小人……（繼續對大姐說）我跟

她說二重埔也算是我的老家。

大姐：（突然糾正修國）你不是在二重埔生的！

修國：（疑惑）不是嗎！？

大姐： 你算算時間嘛！一九五九年三月搬進二重埔租的房子，住了一年半。一九六一年七月十號搬進中華商場，你是一九五六年元月生的。

修國：（問大姐）我的出生地在哪裡！？

大姐： 中華路鐵道旁的違章建築嘛！

佑珊： 修國！你連出生地都搞錯了，（對大姐）他一直和我說他是出生在台北縣二重埔。（大姐搖手否定）

修國： 姐！我是幾點幾分生的？

大姐：（回想修國出生當天的情況）那時候我唸開南初中二年級……早上六點鐘我出門，走路到開南一個鐘頭……下午五點放學走回家一個鐘頭，到家都六點了……（修國殷殷切切期盼著大姐的答案，大姐隨口敷衍修國）你就是在我上學、放學這段時間出生的嘛！

修國：（調侃大姐的答案）十二個小時把我生出來——媽媽是難產啊？

　△　三人笑，燈漸暗。

　△　火車行進聲。

　△　白紗幕上重新投影中華商場原址處的現代街景，鏡頭

漸漸拉近，很快地又以同樣的角度，置換成數十年前中華商場矗立該處的陳舊影像，間或交雜著當時中華商場各商家招牌林立的影像。

△ 場上響起廣播節目的聲音，白紗幕投影漸漸消失。時空切換至1966年7月24日星期日，大姐出嫁的前一天。

△ 修國家室內景燈光亮起。少年修國穿著汗衫跟小學短褲，蹲在家門外聽收音機。室內燈光黯淡，僅有大門上的毛玻璃透著光芒。母親獨坐在臥室床上，看著窗外出神。

男聲：（字正腔圓，OS）「廣播劇——《第二夢》，中國廣播公司廣播劇團演播。《第二夢》：崔小萍導演、李林配音、唐林錄音。劇中人：紀雲，崔小萍擔任、宋屏，吳培遠擔任、代代，劉秀嫚擔任……

△ 大姐捧著一堆衣服上，她拉開木門，進入室內，呼喚蹲在門外的修國。

大姐：修國！衣服乾囉！（修國在門外敷衍應聲）進來折衣服！

少年修國：（不耐煩地進門回答一聲）我聽廣播劇啦！（轉身出門，將門帶上，又蹲回原處）

△ 白紗幕，升。

△ 大姐在五斗櫃上折衣服，母親在房內出聲喚大姐。

母親：（說山東話，以下皆同）小嫚！給你看件東西！

△ 大姐隨口應聲，門外還隱約傳來廣播劇的聲音。母親

打開床上一只泛黃的牛皮箱子，取出一套從民國廿年保存至今的大紅嫁衣和一雙繡花鞋。

大姐：（看到母親手上的嫁衣，漫聲讚嘆）好漂亮喔！媽！這是什麼年代的衣服，我從來沒見過？

△　大姐仍站在原處折衣服，母親突然認真地宣告。

母親：明天妳嫁人，俺話說前頭，俺不去會賓樓[1]！

大姐：（聞言放下衣服，衝入臥室埋怨）媽⋯⋯女兒要出嫁，妳怎麼能不在場？妳是主婚人耶！

母親：俺不願意再跨出那個大門。

△　母親指著大門，火車行進聲響起。配合火車音效，窗外閃過一陣忽明忽暗的光影，彷彿窗前有一列火車正疾駛而過。

△　修國和佑珊隨著大姐的敘述走進了回憶裡的時空，看著往事在眼前上演。

大姐：（坐在母親身邊，無力）媽！⋯⋯

母親：（自顧自地說起往事）小嫚！俺在老家還有一個妹妹，妳記得不？

大姐：（不耐煩地）那年我五歲，她在老家把姥姥給鬥爭鬥死了，我怎麼能忘記嘛！？

母親：妳千萬別誤會她了，俺說──民國二十年臘月，應

1　大姐婚禮宴客地點，為台灣老字號北平菜館子。

當是俺的妹妹穿上這套衣裳、這雙繡花鞋嫁給妳
爹的！

大姐：（轉身走開，抱怨）妳說這個幹嘛啦！

△　大姐走出臥室，母親在房內繼續說。

母親：（緬懷地看著繡花鞋）繡花鞋是你爹親手縫的，鞋太
大不合俺的腳，走不了兩步路鞋就是不在俺腳
上……

△　母親還在呢喃自語般地述說著回憶，大姐轉身向修國
夫妻說明那一晚的經過。

大姐：那天晚上，為了那套禮服、那雙繡花鞋，媽媽和我
說了一段往事，還有一件媽媽一直耿耿於懷的心
願……

母親：（在房內呼喚）小嫚！（大姐回頭，母親幽幽地說）老家俺
是回不去了……

大姐：（向母親，勸阻地）媽……

母親：（拿著繡花鞋，交代大姐）人活百歲也是死，不如早死
早安息。有生之年要是妳能回老家，千萬得把這
套衣裳、繡花鞋親手交給俺妹妹，俺就這樁心事
未了啊！

大姐：（走入臥室，倚著母親坐下，勸解）媽！

△　修國一直在旁觀看，此時突然插嘴，好奇地問大姐。

修國：姐！那天晚上我在哪裡！？妳跟我敘述媽媽這段往事，那一天晚上我人在哪裡？

　△　大姐還坐在床邊，被修國的問題難住了。嗩吶聲隱約響起。

大姐：（苦思半晌）一九六六年七月二十五號我結婚，那天是七月二十四號……（想不起來，沒好氣地反駁修國）我哪兒記得你在哪裡！？

　△　修國、佑珊與大姐面面相覷。少年修國起身推門入內。

少年修國：我在門口聽廣播劇啦！（大姐命令少年修國折衣服，自己轉身倚著母親，兩人低語。少年修國不情不願地拿起衣服正要折，突然想起某事般，走向母親，問）媽！您有五個小孩，您最疼哪一個？

母親：（聞言，笑了）你說什麼？

少年修國：（不好意思地）沒說什麼！沒說什麼！

　△　少年修國轉身走開，獨自在玄關揮舞衣服，比劃著武俠動作，修國看著天真年少的自己。臥室內，母親與大姐仍在親密私語。

修國：（對佑珊介紹這回憶場景裡的一切）那張床是我母親唯一的世界。我母親的鄉愁、還有她對老家的思念都發生在那張床上，我母親偶爾會對著我唱她家鄉的民謠……（轉問坐在床邊的大姐）姐！妳記不記得

媽媽唱什麼兒歌？我一點都想不起來了。

大姐：（再度被修國問倒）啊？

△　大姐滿腦子空白，隨口搪塞。

大姐：兒歌啊！……媽媽沒有對我唱過什麼兒歌啊！

△　母親坐在床前，開始喃喃哼起〈清藍藍的河〉。

母親：（唱）「就像那長流水呀，奔騰永向前……」（母親一唱，大姐便回到回憶的情境中，依偎著母親，跟著哼了起來）

△　在母親與大姐的歌聲中，窗外灑進一大片火紅的月光，婚禮鼓吹的嗩吶聲揚起。修國緩緩走到臥室外，觀望著這片回憶中的場景。

△　燈光漸暗，竹板快書節奏揚起。

S2

扮新娘

時間：

（昔）1931 年 3 月 7 日，夜晚。

（今）2003 年 10 月 25 日。

場景：

村市集。場上有一座戲台。（本劇中村市集的場景，每次皆以景片排列出不同角度來呈現）

角色：

（昔）愛民、翠玉、娘親[2]、母親、劉祕書。（快書故事人物），武松、轎夫甲、乙、群眾三十人。

（今）修國、大姐、佑珊。

2　母親之母，為當地富戶，年少守寡，獨自將翠英翠玉兩姊妹帶大。大姐與修國管她叫「姥姥」。

△　竹板快書節奏中，燈漸亮。

△　戲台上緣懸掛一塊紅布條，上書「歡迎青島市政府文化大隊賑災義演」。

△　愛民在戲台上說書，台下一群觀眾或坐或站地圍著戲台聽書，翠玉、娘親、母親與劉祕書也在人群之中。燈光集中在戲台上，台下觀眾在黑暗中只見剪影。

愛民：（打竹板，演出山東快書〈武松扮新娘〉的前半段）這武松，伸著頭，瞪著眼，朝著裡邊一打量。照著裡邊留神看，有八寶頂子羅漢床，金鉤倒掛羅幃帳。裡為陰，外為陽，有倚枕兒、靠枕兒、鴛鴦枕兒，枕頭上邊繡月亮。床沿上，留神看，坐著一位老大娘。武松近前忙施禮——（愛民分別模擬老大娘、武松口吻對話。舞台深處黑紗幕後方亮起，新娘裝扮的武松與兩名扛著花轎的轎夫，上，隨著愛民接下來的快書對話，做出戲劇動作。）「乾娘在上可安康？」「你就是景陽崗上打虎的武二小？」「啊！」「你就是陽谷縣當都頭的武二郎？」「不錯！」「呵呵！好好好……武松兒快坐下吧，委屈你打虎的好兒郎，鳳冠霞帔紅蓋頭，為娘給你裝新娘！」

△　愛民表演完畢，戲台上、下的人皆靜止不動，戲台處燈暗。

△　舞台左側燈光漸亮，大姐帶著修國、佑珊上。她向修

國夫婦說明當年翠玉結識愛民、進而逃婚的往事。

大姐： 翠玉阿姨啊，七歲的時候就跟爸爸定了親，可是呢⋯⋯（戲台處燈光微亮，台下觀眾仍靜止不動，唯獨女學生裝扮的翠玉上前熱絡地與愛民說起話來）媽媽說，妹妹翠玉喜歡戲台上說書的，他們兩個在城裡認識，交往了一年多。翠玉阿姨打死都不肯嫁給爸爸，她說太封建了，不承認這門親事⋯⋯（大姐說著、笑著，娘親從長凳上起身，母親走到戲台前招喚翠玉。大姐繼續說明）姥姥什麼都不知道，一心盼著翠玉阿姨嫁給爸爸。

△ 戲台前的觀眾漸漸散去。劉祕書叫住娘親。

劉祕書： 王大娘！

娘親：（笑著與劉祕書打招呼。娘親說山東話，以下皆同）劉祕書！

劉祕書：（上前問娘親）王大娘！城裡頭賑災，您上多少糧草？

娘親：（思索著）五十袋大米、五十袋小米麵、一百斤鹽、一百斤糖，明天太陽冒出頭，你開車上俺家裡往城裡拉！（娘親邊回答劉祕書，母親與翠玉隨侍在側）

劉祕書：（喜）老天爺開了眼了，老大娘就您家裡積陰德得福報，老天爺寶貝您長命百歲，福壽安康！

娘親：（謙辭）沒說的³，沒說的！（眾人笑）

---

3 山東話「別說了」。

△ 燈暗，大姐、修國、佑珊三人，下。黑暗中，愛民的竹板聲響起。

△ 燈光復亮，戲台已移至舞台左側，愛民在燈火通明的戲台上說書，台下空空蕩蕩，僅有翠玉、娘親與母親、劉祕書各立一角。愛民演出竹板快書〈武松扮新娘〉的後半段。

愛民：（模擬武松與方豹對白）——「呔！方豹！你小子做事真不瓤⁴，有本事跟我幹一場。你要是勝了二爺我，我就跟你去拜堂。你要是勝不了二爺我，我叫你小子活不長。」方豹說：「我到石家庄上去娶親，為什麼是你上了轎花堂？」武松說：「我聽說你這個小子行不正，就地惡霸一堵牆。搶人家錢，奪人家的娘，霸人家的地，佔人家的房，還糟蹋人家的大姑娘。今天你二爺我來了，非給你這個小子改改行。」方豹說：「留下你的名和姓，我刀下不殺無名之鬼。」「你二爺我就是景陽岡上打虎的武松！」「休走看刀！」——（愛民分別模擬著武松與方豹格鬥的戲劇動作）「啪」！啪地一刀剁過來，武松閃身躲一旁，抬腿就是踝子腳，「啪」！正踢到方豹手脖上。就聽「嗖叭」連聲響，單刀踢出兩

---

4 讀「ㄖㄤˊ」，原意指瓜、柑橘等內部包著種子的部分，引申為軟弱、沒有能耐。

三丈。兩個人，沒了兵刃，拉開當年把式行。那方豹，照武松使了個通天炮，這武松，獅子搖頭使得強。兩個人來來回回好幾趟，那方豹伸手過來抓脊樑。差二指抓著武老二，武松使了個倒掃堂。就聽「噗通」一聲響，把方豹撂倒地中央。抓著方豹這條腿，那條腿踩到地當央。兩膀使上千斤力，「哧啦」劈了兩分臟。武松劈了賊方豹，點起火來燒他的房。霎時間，濃煙烈火衝天起，武松返回石家庄。石家庄辭別石老漢，一奔孟州去過堂。

△　愛民說完快書，台下四人熱烈鼓掌叫好，其中以翠玉的反應最為熱烈。同時，客家戲曲的絲竹音樂亦跟著響起。

△　愛民向台下鞠躬。燈光暗。

S3

開金扇

時間：

2003年10月31日，上午十一時半。

場景：

佑珊娘家的三合院。舞台置三合院正房的景片，景片中央有一廳門可供出入，門內還可見到正廳供奉的神明與祖先牌位。正門口有一副對聯寫著「相傳八葉，文著六朝」，上方匾額上書「河南堂」。三合院周遭植有芭蕉樹及高聳入雲的檳榔樹，院前乃晒穀場，有一落一落的稻穀堆散置其間。舞台右側設一竹架、一長凳，上面掛滿鹹菜乾。

角色：

蕭母、佑珊、修國、展雄、小雲、阿婆。

△　客家戲曲絲竹音樂響起。

△　燈光亮，佑珊、修國在三合院前。

佑珊：（揮著絲巾，比做客家戲身段）我的記憶好清楚，在我兩歲的時候，我媽每天對我唱客家戲《錯配姻緣[5]》裡的〈開金扇[6]〉……每天唱喔！

修國：兩歲的事情妳都記得？

佑珊：很清楚！我還記得我媽媽的眼神……（佑珊揮舞絲巾，學母親唱起〈開金扇〉）「妹子思情郎在心中哪噯唷嘟唷──」（佑珊唱畢，回想母親唱歌的樣子）扇子後面那雙眼睛……都是淚水。

修國：（突然說）我找到我的出生證明了……（佑珊錯愕，修國接著說明）我知道我的出生時間了。

△　沉默。

△　佑珊向前，將絲巾丟給修國。

佑珊：修國！這重要嗎！？看看現在的你，一個禮拜七天有五天把自己關在家裡──（佑珊說著，欲走進三合院內室）

修國：（辯白）不是關在家裡，是待在家裡。

佑珊：兩天去話劇社──

5　著名戲曲，描寫才子佳人相戀、落難離散、最終重逢的故事。除客家戲外，亦常見於歌仔戲演出。
6　《錯配姻緣》中的客家小調歌謠。

修國：（辯白）他們邀請我去指導啊！

佑珊：一次三小時指導費一千塊——

修國：（辯白）很多了！

佑珊：六小時兩千塊，一個月去八次拿回家八千塊——

修國：（辯白）他們有說要調薪——

佑珊：深坑房子每個月貸款一萬六——

修國：（辯白）房子是妳堅持要買的啊！

　△　佑珊被修國氣得說不出話，沉默。

佑珊：（難以忍受地問修國）我還要給你多少時間？

修國：（試圖轉移話題，調侃佑珊）妳是產前憂鬱症吧！？

佑珊：（不想再談，扭頭就走）是！我是！（佑珊欲走入三合院內室）

修國：（叫住佑珊，還想辯解）那天在我大姐家，妳也聽我大姐說了……

佑珊：（忍不住轉身回嘴）你才是產前憂鬱症！

修國：妳也聽見我大姐提起我母親從前那些往事。之後，我有股衝動，我想要知道「我從哪裡來？」，我想要為我們家族寫一個歷史故事，我希望風屏劇團……

佑珊：（打斷修國，不耐煩地）你不要再做劇場了！

　△　修國、佑珊相對無語，沉默。

蕭母：（OS）展雄——！

△　展雄自三合院內室上，小雲跟隨在後，拉著展雄。稍頃，蕭母抱著醃鹹菜的盆子，亦自三合院內室上。

蕭母：（說普通話時帶客家口音，以下皆同）展雄，你去把罐子送到警察局。

展雄：（說普通話時帶客家口音，以下皆同）阿姨！放一個晚上，明天我叫小雲送到警察局嘛！

△　小雲聽見展雄的話，不發一語扭頭就走。蕭母對小雲的反應相當不滿。

蕭母：（命令展雄）現在就去！

△　小雲忿忿走到一角。展雄故意忽視蕭母之語，逕自上前，對著修國沒頭沒腦地解釋起來。

展雄：修國！現在人坐計程車什麼東西都能掉！（展雄邊說，不忘打趣佑珊）產前憂鬱症……（佑珊又好氣又好笑，展雄繼續對修國說）我開計程車十八年了，在計程車上什麼東西都有撿過……掉最多的是手機，其他像是雨傘、錢包、水果！我撿到什麼通通交到警察局。

△　佑珊走到長凳旁，坐下聽展雄與修國的對談。

修國：阿姨說你撿到什麼？

展雄：（哈哈笑了兩聲，神秘地附在修國耳邊說）一個骨灰罈。

（修國聞言大驚失色）

蕭母：（受不了，大聲命令展雄）你趕緊送去警察局！

展雄：（理直氣壯）送去怕被人家偷啊！

蕭母：（叫罵）誰會偷一個骨灰罈！？誰敢在警察局偷東西？

展雄：（逃避地走到一旁）明天上班我就處理掉嘛！先放在供桌上……

蕭母：（追上前質問展雄）家裡放一個陌生人的骨灰罈「衝麼介[7]」？

△　阿婆捧著骨灰罈，自三合院內室，上。眾人驚嚇。

阿婆：（客語，問蕭母）這是麼介（客語「這是什麼」）？

蕭母：（以客語對阿婆解釋）骨灰罈。展雄說在他計程車上撿到的。

阿婆：（以客語吩咐展雄）阿雄！拿去派出所！

△　阿婆將骨灰罈交給展雄。

展雄：（接過骨灰罈，大肆批評）荒謬嘛！修國你有沒有看過一個人抱著骨灰罈開計程車？（邊說邊抱罈作開車狀）

蕭母：（罵展雄）荒謬嘛！那個人就是你呀！

展雄：（招呼小雲）小雲走啦！（小雲跟著展雄，欲下）

蕭母：（以客語問展雄）吃中飯了，你去哪裡？

小雲：（聽不懂客語）啊？

展雄：（對小雲解釋）阿姨說要吃中飯了，又要去哪裡啦！

7　客語，意指「做什麼？」。

（展雄將骨灰罈交給小雲，轉對蕭母解釋）阿姨！小雲在鳳山找到一間房子要開店，我帶她去和房東簽約。

蕭母：（戳破展雄的謊言）開什麼店？你就說你要搬出去和她同居嘛！

展雄：阿姨！（客語）七歲罵八歲夭壽——妳罵過頭了[8]！

蕭母：（客語，吵架）哪種鹹魚配哪種糟[9]。

修國：（以不熟練的客語發問）講麼介[10]？

　△　蕭母對修國尷尬地笑。

展雄：（對修國搖手）不需要聽懂啦！

　△　小雲生氣離去，展雄在她身後一再叫喚，小雲不理，逕自走下。

展雄：（氣憤地對蕭母）對！我是鹹魚！

　△　展雄追著小雲，下。

　△　蕭母將修國拉到一旁。小雲悄悄走上，她趁沒人注意，將骨灰罈放在地上，又下。

蕭母：（從口袋裡掏出一疊鈔票給修國）修國！五萬塊先拿去用。

　△　佑珊見狀急忙上前阻止。

佑珊：阿姨！妳不能再給他錢了。（佑珊欲把錢還給蕭母）

蕭母：（拉著佑珊，客語）嫁雞跈雞，嫁狗跈狗，嫁猴仔滿

8　客家俗諺，意涵與表面字義同。
9　客家俗諺，意即什麼樣的男人配什麼樣的妻子，多指拙夫與蠢妻而言。
10　客語，意指「說什麼？」。

山走[11]。

修國：（以不熟練的客語發問）講麼介？

佑珊：（以客語隨便搪塞修國）你不知啦！

△　蕭母轉身見到地上的骨灰罈，大吃一驚。她抱起骨灰罈忿忿地用客語罵著，走入三合院內室，下。

修國：（將錢交給佑珊）這個月的生活費還有貸款，先拿去用！

△　佑珊接過錢，修國裝作若無其事走開。修國轉身欲入三合院，佑珊突然叫住他。

佑珊：你怎麼找到你的出生證明？

△　天幕[12]一角投影一段黑白影像，內容是自台北市中華路到基隆的沿途風景。

△　修國對佑珊說明他尋根的過程。

修國：我要妳陪我走一趟妳也不願意……前天早上八點我去中正區戶政事務所查戶籍，結果就查到我們家在中華路違章建築的戶籍資料，裡面有我的出生證明。然後我看到那資料有寫我們家在基隆的上一個戶籍資料——基隆公園街。然後我坐火車去基隆，在仁愛戶政所，結果又查到了我們家在

11　客家俗諺，意即嫁雞隨雞，嫁狗隨狗，訓勉女性當與丈夫同甘共苦。

12　置於舞台最後方的布幕，配合燈光以表現天空景象。

基隆落地的第一筆戶籍資料，戶籍事由寫的是
「自一九五〇年九月二十一日自本籍地──」

佑珊：（熟稔地說出修國的本籍地）山東，萊陽。

修國：對──（將戶籍資料唸完）「山東，萊陽，自本籍地遷
入」。（啞然失笑）我只花了九個小時，從台北去基
隆，就尋完我自己的根。事實上，我大姐說我們
一家在基隆落地的那天是……（回憶）一九五〇年
五月一號。

△　修國望著天空，陷入回憶中。佑珊上前，將錢交給修
國。嗩吶鼓吹音樂響起。

佑珊：希望你找到你自己。

△　佑珊說完，轉身去幫阿婆曬鹹菜。修國拿著錢，不知
如何是好。

△　燈暗。

S4

私奔

時間：

1931年9月18日，深夜。

場景：

村市集。背景是接連的民宅圍牆，圍牆前方為村市集廣場。黑色天幕投射一輪明月。

角色：

愛民、翠玉、母親、娘親。

△ 燈漸亮，月夜裡，愛民手持木杖、拎著包袱站在廣場上。

△ 稍頃，翠玉抱著一個小包袱，上。愛民拉著猶疑的翠玉欲走。

△ 母親急急追上。

翠玉：（轉身哀求母親）大姐！您就放一萬個心讓我跟著愛民走吧！？

愛民：大姐！我一定能好好照顧翠玉，絕不讓她吃苦受累！

母親：（對愛民、翠玉落下重話，山東話，以下皆同）好！你們有本事就去闖，在外頭不比家裡有人照應，明白不？……凍死迎風站、餓死不出聲[13]，闖不出名堂就不要回來要飯！

愛民：（聞言忿忿地上前與母親爭辯）大姐您這話也說的太過了吧！就算沒能給翠玉好日子又怎麼樣？要飯去？……要飯不算孬啊，（愛民將手中竹杖、包袱甩在地上）丟下棍子還是跟人一般高哇！

母親：（不為所動，冷笑）說書的！狼走天下都吃肉，狗在家裡也轉圈[14]，你別說大話，帶著俺妹妹跑了，這千

---

13 山東俗諺，比喻就算身處逆境，也要以不折不撓的姿態面對。

14 山東俗諺，指狼吃肉、狗轉圈都是稀鬆平常的事，無須拿來說嘴。比喻人不要說大話、自我膨脹。

斤的擔子你敢擔嗎？

愛民：我怎麼不敢擔！

△　母親與愛民爭執著，娘親手捧新娘嫁衣，自外氣喘吁吁地跑上。翠玉怯怯地走向娘親。

翠玉：（向娘親）娘！翠玉和愛民走了，往後在您跟前，只有拜託姐姐孝敬您了！（向娘親躬身一拜）

娘親：（不願接受事實）妳說什麼啊！妳這身結婚衣裳是俺親手為妳縫的！？

母親：（勸說娘親）娘！讓他們走吧！翠玉要是嫁給做鞋的，您更不好交代！

娘親：（阻止母親）沒說的！

翠玉：（向娘親解釋）娘！單絲不成線，獨木不成材 15！對不住您，我肚子裡有了愛民的孩兒！（娘親聞言，怒打翠玉，母親忙上前將娘親拉開，翠玉繼續哭著解釋）……到了臘月迎娶，我不能挺個肚子上花轎嫁給做鞋的，街坊鄰居瞧見了，那閒言閒語能不逼得讓娘您去上吊，也能把我趕著往河裡跳！

娘親：（忿忿地將嫁衣丟給母親，走向愛民追究責任）說書的！

△　翠玉與母親忙上前勸阻娘親。

---

15 山東俗諺，意為一縷細絲，無法當作縫紉的綿線；一支獨木，無法成為建築的良才。原喻人沒有其他助力，僅憑一己成不了氣候。翠玉引用此諺語，乃是責備自己不成材。

翠玉：（急著對娘親道）再說村子裡還有一塊您的貞節牌坊，

娘！您和大姐沒上過學堂不識字，貞節牌坊寫的

是——（翠玉緩緩唸出貞節牌坊上的對聯）「北呂清風垂

壼¹⁶範，南魯皓月照真心。松筠介節標渤海，冰

雪清輝映嶗山」，橫批是「脈存一線¹⁷」——（娘親聞

言，既無力又傷心，翠玉拉起娘親的手放在自己的肚子上）

娘！您講三從四德守貞節，可我這塊肚皮就能毀

了您一世的貞節名聲！

△　娘親捶胸頓足嚎哭，愛民走向娘親。

愛民：（向娘親承諾）大娘！當著您的面我說句心裡話……

我保證不會虧待翠玉，給我五年十年，我一定當

個一官半職光榮回鄉好好孝敬您！

娘親：（止住眼淚，走向愛民，氣憤地）說書的！你站好！

愛民：（趕緊肅立）是！您也該好好看看我這不成材的女

婿，是吧？

翠玉：娘！臨走前請您務必賞他一句訓詞！

△　翠玉此一言表明了其與愛民私奔的決心，娘親氣得又

欲打翠玉，母親安撫娘親。娘親轉向愛民。

娘親：說書的！——（愛民躬身聽訓，娘親老話重提）狼走天下

16　讀作「ㄎㄨㄣˇ」，古時宮中道路，延伸為後妃的居室，壼範指就是婦女的
　　言行儀範。
17　指家族血脈代代相傳。

都吃肉……

愛民：（學著山東話，乖乖覆誦娘親的訓詞）都吃肉！

娘親：狗在家裡也轉圈……

愛民：（覆誦）也轉圈。

母親：娘！俺剛才說過了。

愛民：（學著山東話幫腔）說過了！

娘親：（訓詞被說走了，有些失落）噢！……（忿忿地拂袖走開，
　　　　不想再講）沒說的，沒說的！

愛民：（追著娘親，鼓勵娘親再訓話一次）您再來一句吧！大
　　　　娘！您換一句吧！

　△　娘親上前，突然賞了愛民一巴掌。

娘親：（狠狠罵了一聲）進你娘！——（愛民錯愕）俺就說這一
　　　　句！（揮手驅趕翠玉）走吧你們！

　△　娘親扭頭就走，看也不看翠玉一眼。翠玉追上娘親。

翠玉：（喚娘親）翠玉不孝！沒緣穿上這身衣裳！您還是留
　　　　著它吧！（將嫁衣雙手奉還）

娘親：留著給誰穿！？俺穿？俺穿上嫁給做鞋的？

翠玉：（不知所措地）娘……！

母親：（突然出聲）俺穿！

翠玉：（急問母親）大姐！？

母親： 俺穿！俺替妹妹穿上嫁給做鞋的。

翠玉：（拉著母親）大姐，寡母孤兒的，您在王氏祠堂裡對著祖宗發了誓，要陪著娘親終身不嫁，您得陪著娘親一輩子，不是？

娘親：（痛心地阻止翠玉再說下去）沒說的！

翠玉：（質問娘親）娘！您圖著做鞋的家裡什麼好處？非要訂上我這門親！？……（娘親打翠玉一巴掌，翠玉哭喊）我跑了他找不到人，這門親就算吹了嘛！（翠玉將嫁衣扔在地上）

母親：（指責地）翠玉！

娘親：（傷心地彎腰拾起嫁衣，拍去灰塵，緩緩道出過去因由）十年前……做鞋的在七星河裡救過俺們母女兩條命，那年妳七歲……（娘親吃力地起身，將嫁衣披在翠玉身上比量）俺報他的恩，把妳許配給他！……（娘親質問翠玉）妳懂什麼仁義？（翠玉答不出來，娘親罵了一聲）妳懂什麼人情？

△　娘親轉身，傷心地走下。母親叫住翠玉。

母親：（不顧翠玉反對，接過嫁衣）給俺！（母親抱著嫁衣，欲下。翠玉與愛民正要離去，母親突又轉身叫住他們）翠玉！……不勸了！妳要去來妳就去，有句話俺

得先墊上……（母親自髮髻上取下金簪，哭著交代翠玉）

不管你們走到什麼地方頂不住，就把金簪子當了，能值幾個錢。

△ 翠玉哭，掏出手帕仔細地包住金簪。母親示意翠玉與愛民離去，翠玉對母親深深一鞠躬。

△ 燈光漸暗，戰火轟隆聲漸起。

S5

清算

時間：

1947年11月15日，下午，深夜。

場景：

村市集。舞台右側有一高牆景片，其上貼著「中國土地改革法」大字報。

角色：

（今）大姐、佑珊、修國。

（昔）愛民、翠玉、娘親、母親、劉祕書、三幼童（幼年大哥、幼年大姐、海濱[18]）、共產黨幹部兩人、共軍十人、村民七十人。

18　母親第三個孩子，後來在逃難中死去。

△ 砲火聲轟隆。白紗幕上投影一段黑白影片，內容為1945年國共會戰紀錄片的剪輯片段。

△ 場上亮起一片紅光，大姐與佑珊、修國站在白紗幕後，三人身後是村市集場景。白紗幕上影像漸漸拉遠、淡出。大姐對修國二人訴說母親過去遭到清算的事。

修國： 媽媽一輩子生了幾個小孩？

大姐： 生了八個！（細數從頭）在大陸死了三個，在台灣就剩下我們五個兄弟姊妹。我前面是大哥，大哥前面本來有個大姐叫李蘭英，四歲的時候吃了個發霉的爛水梨，吃壞肚子每天拉，那時候哪有藥吃？聽媽媽說，一連拉了四天眼看著她就拉死了。

△ 翠玉、愛民戴著共產黨黨工帽，上。兩人狀似為某事爭辯、愛民勸著翠玉。

佑珊： 翠玉阿姨怎麼會把姥姥鬥爭鬥死了？

△ 由群眾合唱的〈沒有共產黨就沒有新中國[19]〉響起，從場外陸續走進了八名荷著長槍的共軍及七十名村民，幼年大哥、幼年大姐、海濱也混雜在人群中。群眾裡有人手執五星紅旗，也有人高舉紅、白布條，上寫「還我耕者有其田」、「水溝頭呂家埠村清算大會」。在愛民、翠玉的監看下，眾人一字排開。

---

18 中國共產黨黨員曹火星創作之歌詞，原名為〈沒有共產黨就沒有中國〉，爾後毛澤東建議添加上「新」字。

△　　大姐、修國與佑珊三人站在村市集一角，旁觀著這段往事的發生。

大姐：抗戰勝利以後誰也沒過上好日子，民國三十六年秋天共產黨就解放了老家……（在大姐的回憶中，白紗幕緩緩升起）我記得有一天早上媽媽拉著哥哥、我、還有一個叫李海濱的弟弟——就是在海南島被炸死的那個——媽媽帶著我們去市集，我還以為誰家辦喜事？不得了，媽媽說是那個說書的和翠玉阿姨參加了共產黨……

△　　另一角，兩名荷槍共軍押著五花大綁的娘親，自外上，共軍將娘親帶到市集中央。

△　　娘親不知所措地站在場中央，一陣沉默中，翠玉與愛民走上前，一名共產黨幹部在旁監看著。

翠玉：（喝令娘親）跪下！（娘親跪，兩名共軍還欲動粗，被愛民勸下。翠玉向村民演說）呂家埠村的街坊鄉親，我也是本村人，姓王名翠玉。十六年前我離鄉背井就是她打我、踢我、拽我，把我掃地出門趕出呂家埠村。她是我親娘！就從今天起我和親娘劃清界限，我和你們廣大的農民群眾站在同一條戰線上！

△　　翠玉激昂呼籲，村民卻是一片沉默。半晌，黨幹部上前帶頭拍手，村民才跟著零零落落地拍手叫好。

△　　修國、大姐、佑珊混在人群中，看著娘親被批鬥。

愛民：（接著鼓譟村民，批判娘親）是誰不讓咱們窮人有飯吃？是誰不讓咱們農民有地耕田？是誰不讓咱們窮人翻身！？舉凡是地主、富農都是剝削咱們僱農、貧農的階級敵人！（指著娘親大罵）呂家埠村的首富地主壓榨貧農、僱農血和汗、吃我們窮人骨和肉的人就是她──（問村民）對不對！（人群裡僅傳來稀稀落落的兩三聲「對」，黨幹部見狀頗為不悅。愛民瞥見幼年的大姐──小嫚，他走向幼年大姐，問）小嫚是吧！對不對啊？

小嫚：（與其他兩個幼童齊聲大喊）不對！

△　劉祕書緊張地上前欲排解，愛民一把推開劉祕書，又走回場中央，環顧村民。黨幹部上前，咳嗽一聲，十名共軍舉槍恫嚇村民，愛民再度問村民。

愛民：（恫嚇地）對不對！

村民：（齊聲大喊）對！

愛民：（走向娘親，大喝一聲）王趙氏！今天這場清算大會就是為了清算本村的頭號地主！（轉吩咐共軍）同志們！搬桌子！（數名共軍應聲，下。黨幹部低聲吩咐了愛民幾句，愛民蹲在娘親身旁，逼娘親）妳把家裡糧草米麵一擔一擔地抬出來，把手裡的土地農田一寸一寸地發還給鄉親街坊！

娘親：（傲然，教訓愛民）說書的！狼走天下——

愛民：（急打娘親一巴掌，吼）妳說什麼啊！老太婆！（娘親怒

視愛民，愛民拍著娘親的臉罵）妳承認妳就是咱們的階

級敵人！

　△　母親欲上前阻止，翠玉拉住母親。

愛民：（扭著娘親的頭，逼她與母親互視）妳認錯！妳認錯！（愛

民又打娘親一巴掌）

　△　娘親跪在地上，環視週遭她曾接濟過的眾村民們，翠

玉別過頭去。一陣沉默中，娘親緩緩開了口。

娘親：俺從來不做傷天害理的事情……

愛民：（再打娘親一巴掌）別講理！儘管認錯！

共軍：我肏！（不耐煩地上前，欲對娘親施以暴力）

愛民：（攔住共軍）小兄弟！讓她自己認錯！

娘親：（喚翠玉）翠玉！（翠玉別過頭去，娘親痛心地質問她）妳是

俺親生女兒啊！

　△　沉默。翠玉大步向前，狠狠踹了娘親一腳。娘親倒在

地上哭泣。

翠玉：（對著娘親大罵）老頑固！還不認錯！我請革命軍同志

搭十張高桌讓妳站上去往下跳！

　△　四名共軍分別從舞台兩側搬上數張方桌，一張張堆疊

起來。

娘親：（爬起身，挺直了背脊，厲聲抗辯）到底俺犯了哪一條
王法？

翠玉：（大罵）妳是咱們農民群眾的階級敵人！這條錯得
了嗎？

愛民： 同志們！把老太婆推上去！

△ 〈沒有共產黨就沒有中國〉曲調揚起，數名共軍口中呼
喊著「推上去！」，上前架起娘親。村民鼓譟著，團團
圍住舞台。

△ 燈暗。

△ 稍頃，燈又亮，場上已疊起十張高桌，天幕轉為黯淡
的黃昏天色，場上眾人都變成黑色剪影。

△ 黨幹部向高空揮舞手中紅旗。

黨幹部：（大喊）把她推下來——

△ 一陣淒厲的尖叫聲劃破沉默，娘親（以假偶代替）自高
空中直直墜落地面，村民中有人放聲尖叫，共軍鼓譟
叫好，眾聲譁然。稍頃，共軍驅散村民，人潮漸漸散
去，只留下倒地不起的娘親在場上。

△ 修國、佑珊、大姐三人，下。

△ 娘親趴在地上痛苦呻吟、哭泣。燈光轉換為夜景。

△ 稍頃，愛民和翠玉帶著提籃、茶水，上。愛民把風，
翠玉倒水捧到娘親身前。

翠玉：（哭著喚娘親）娘！喝口水！

△ 愛民、翠玉趕緊為娘親鬆綁，扶起娘親。

△ 翠玉餵娘親喝水，娘親飢渴地喝了一口，嗆了兩下。

愛民：（打開提籃，拿出一個饅頭放在娘親手裡）餓了吧！？翠玉
給您帶了兩個大饅頭。

翠玉：（哭著解釋）娘！翠玉身不由己……與其讓別人來鬥
您，不如讓我和愛民來鬥您……我們不是存心要
折磨您的呀！（翠玉抱著娘親放聲大哭）

愛民：（低聲安慰娘親）娘，一會兒我扶您回家裡，把傷養好
了，我親自送您去北平待著，那兒肯定安全。

△　母親，自一角，上。母親見到翠玉，劈頭就是一陣狠
打。翠玉默默挨打不還手。

母親：（邊打邊罵翠玉）她是妳娘！她是妳親娘！（母親氣不
過，折下圍牆邊的樹枝鞭打翠玉）

△　翠玉始終一言不發，被打得倒在地上。一旁，娘親虛
弱地出聲阻止母親。

娘親：別打了！俺頂得住！（母親急忙上前扶娘親，娘親哭著）
該教訓的是說書的！

愛民：（對娘親）您是該好好教訓教訓我！帶著翠玉離家
十六年，回鄉不但沒能好好孝敬您，還當著農民
群眾清算您，是我不應當！（愛民向娘親跪下，翠玉
跟著跪下）娘！能喊上您一聲娘也是我上輩子燒了
好香求來的，這會兒您愛打愛踹，儘管使勁討個
夠本吧！

△　娘親聞言，真欲起身打愛民。母親搖搖晃晃地扶起娘親，娘親才踏一步，便又癱倒在母親懷中。

愛民：（幫忙扶著娘親）娘！您站好！

△　翠玉跪在娘親身邊哭泣。

翠玉：娘！

母親：（抱著娘親，恨恨地踹開翠玉）走吧你們！（翠玉哭泣不忍去，母親厲聲大喝）走！走！

△　愛民與翠玉被母親驅趕，下。

娘親：（倚著母親，氣若游絲）妳別怨妳妹妹，她是個好人心不壞啊！

母親：您能走嗎！？俺帶您回家，能走嗎！？

△　母親攙扶娘親走，略走幾步，娘親便疼得大叫。

娘親：（哭）回不了家了……

母親：（輕聲安慰娘親）精神點！娘！俺揹著您，俺們唱歌回家去。

△　母親揹起娘親，一步步走著，娘親手中還握著饅頭。母親嘴裡輕輕哼起〈清藍藍的河〉。

母親：（唱起歌）「清藍藍的河啊曲曲又彎彎，綠盈盈地草地望不到邊── 」

娘親：記下這筆帳──說書的欠俺一巴掌。

△　母親漫聲應著。娘親在母親背上，想要吃一口手上的饅頭，她的手才舉到一半便斷了氣，饅頭掉在地上。母親愣住。

△　燈光轉換，紅光灑滿整個舞台。

母親：（不敢置信，輕聲喚著身後的娘親）**娘！起來哩！** ……（娘親沒有回應，母親背著娘親，癱跌在地，依然連聲喚著）**回家了！娘……娘，回家了！**

△　燈光漸暗。

S6

轉原鄉

時間：

（今）2003年10月31日，黃昏。

（昔）1966年9月30日，夜晚。

場景：

（今）佑珊娘家的三合院，曬鹹菜的竹架移到場中央。

（昔）舞台深處的黑紗幕後置一戲台。

角色：

（今）蕭母、佑珊、修國、小雲、展雄。

（昔）戲台上，客家戲《錯配姻緣》主角桂枝、桂蘭姊妹二人；戲台下，蕭父、三名便衣。

△　燈漸亮，蕭母、佑珊、修國、阿婆已在場上。蕭母曬鹹菜，佑珊與修國在旁與蕭母聊天，阿婆在長凳旁翻撿曬乾的鹹菜。

佑珊：（對修國）我媽喜歡教我唱〈開金扇〉，背後也有一個故事。

蕭母：（補充說明）你老婆在讀大學的時候啊，有一天在鄉公所打完工回家，那天是蔣經國死掉，我記得是——

佑珊：（蕭母還沒說完，佑珊便毫不猶豫地說出正確的日期）一九八八年一月十三號。

蕭母：（附和佑珊）對啦！她問我——（以客語複述當時佑珊的提問）「阿姨！我們家供桌上為什麼沒有爸爸的照片？」

修國：（聽不懂）講麼介啊？（佑珊給修國翻譯）

佑珊：我還記得當時我媽在廚房切洋蔥，等我問她，她聽了一直掉眼淚。

蕭母：（趕忙澄清自己只是被洋蔥刺激到眼睛）是洋蔥！……（佑珊上前，與蕭母相視而笑。蕭母牽著佑珊的手，對她說）我本來一直想等妳結了婚後才跟妳講實話。

佑珊：（轉身告訴修國）我媽講完以後，我面無表情走進我爸爸的書房，在我的日記裡面寫了一句話——「人

生就像剝洋蔥，愈剝淚愈多。」

蕭母：我是覺得，男人才像洋蔥──（佑珊不解，蕭母說明）

妳一直剝一直剝，剝到裡面，發現他根本沒有心！

△　佑珊打趣地看著修國，修國尷尬地別過頭去。

佑珊：（笑罵修國）講你啦！

△　修國抓耳撓腮說不出話。蕭母卻又接著說了一句。

蕭母：但是啊，妳把它丟進鍋子裡去熬湯……（讚）越熬

湯越甜！

修國：（得意地上前對佑珊說）講我啦！

△　展雄興沖沖走上，手裡提著一袋洋蔥。小雲跟在後

面，手中抱著一個棄嬰。

展雄：（將洋蔥交給修國）修國！修國！這是屏東車城的名

產──洋蔥！

修國：好，我拿去熬湯。

展雄：（糾正）修國，新鮮的洋蔥要生吃──爛掉的才拿去

熬湯！

△　展雄轉身，拿著玩具逗弄小雲手中的嬰兒，小雲要他

別再鬧。

佑珊：（看到嬰兒，驚訝）誰的小孩？

△　展雄不正面回答佑珊的問題，反而拉過修國開始說起

他開計程車的經歷。

展雄： 修國，我開計程車十八年了，汽油錢是固定開銷不算多，我最大開銷是印名片⋯⋯！（語畢，裝作若無其事般哈哈大笑）

△　蕭母、佑珊再次逼問展雄。

佑珊： 誰的小孩啊？

展雄：（轉移話題，調侃佑珊）妳不要太憂鬱喔！（又轉對修國計算）你去算，平均一天載二十個客人，一個月六百個，一年扣掉休假一個月，十一個月我載六千六百個客人，十八年下來我載過十一萬八千八百個客人，每個坐我車的乘客都會送他一張名片，一盒名片一百張要價一百五十塊，你去算十二萬張名片要多少錢⋯⋯？（展雄對眾人搖晃手中玩具，得意地）算不出來喔！

蕭母：（不耐煩地打斷展雄）蕭展雄！那是誰的小孩？

展雄：（不得已，大吼）我撿到的嘛！

△　蕭母、佑珊、修國三人驚訝。

蕭母：（驚訝地）你撿到一個棄嬰？

展雄： 剛才就說了，那個丟掉小孩的媽媽有我的名片嘛！

△　展雄又回去逗弄嬰兒，嬰兒哭聲響起。

展雄：（有些慌，吩咐小雲）小雲！泡牛奶！

△　　小雲抱著嬰兒，走入三合院內室，下。展雄欲跟著小雲下，被蕭母叫住。

蕭母：（急）展雄⋯⋯

展雄：（不理蕭母，對修國宣布答案）十二萬張名片要十、八、萬！

△　　展雄逕自走入三合院內室，下。

蕭母：展雄！？你給我送去社會局啦⋯⋯

△　　蕭母追在展雄後面叫罵，亦下。

佑珊：（嘆氣）我實在搞不懂我哥哥每天在過什麼日子？

△　　蕭母抱著棄嬰，自三合院內室上，嘴裡喃喃地罵著展雄。

蕭母：（氣急敗壞地罵了一串客語）夭壽啊，每天不曉得衝麼介，一下子捻到骨灰罈、一下子捻到細囝的啦，就不知何時捻到錢轉來，講出去給人家笑死，實在喔⋯⋯

修國：（客語）講麼介？

佑珊：（笑）說我哥啦⋯⋯（佑珊學著蕭母的樣子，翻譯）夭壽！每天不曉得在幹什麼？一下子撿到骨灰罈，一下子撿到小孩子，就沒有看他撿過錢回家，講出去會給人家笑死，實在喔——

△　　蕭母聽著也笑了，佑珊逗弄著嬰兒。

蕭母：（對修國談起先前的往事）她爸爸有一天去農會領農藥得罪了管區的一個小警員，好像是你們山東人——（修國尷尬，蕭母繼續說下去）那個警員就弄了一張她爸爸的照片，寫了一點她爸爸以前在學校搞讀書會社團活動的資料寄去調查局——

△　阿婆坐在長凳上，默默聽著這段往事。

佑珊：（在旁補充）有一天，我媽抱著我，那時候我才兩個月大。

蕭母：對！就像這個棄嬰一樣，才兩個月大。我就這樣抱著她啊——

△　舞台深處黑紗幕後的戲台景漸亮。客家戲台上，桂枝、桂蘭姊妹正賣力演出，蕭父在戲台下看戲，便衣悄悄走近蕭父。這是一段無聲的畫面，正是蕭父當年被抓走的情景。

佑珊：（在旁補充）我爸和我媽抱著我到廟口看客家戲《錯配姻緣》。

蕭母：戲台上的一對姐妹正在唱〈開金扇〉——

△　蕭母邊說著，回憶中的客家戲歌聲與伴奏揚起。蕭母就像當年一樣，手裡懷抱嬰兒，跟著樂聲哼唱起〈開金扇〉，佑珊也在一旁應和著。阿婆靜靜看著佑珊母女唱曲。

佑珊：

戲台演出：（同時，唱）「拿在妹手中思情郎那唉嚘，妹子思情

蕭母：　　　郎那唉嚘嘟嚘──」

　△　戲台區，便衣與蕭父低聲說著話。

蕭母：（唱完，笑。望向戲台）等台上唱完，我回頭一看──

（佑珊、修國跟著蕭母望向戲台，戲台區，三名便衣強行帶

走了蕭父）她爸爸就被三個便衣抓走了。

　△　阿婆蹣跚地走向戲台區，悵然若失。戲台區燈漸暗，

回到現在的時空。

佑珊：（指著阿婆）一九七五年四月五號蔣介石死掉第二

天，阿婆收到從警備總部寄來一份公文說……我

爸爸是匪諜，被軍法處執行正法了。

　△　佑珊與蕭母同時說著。

佑珊：　　　我阿婆跟我說，四十九天以後，我媽還偷偷

地幫爸爸辦了一場葬禮。

（同時）

蕭母：　　　我也不知道他哪天被槍斃的？就從收到公文

那天算起，我給他唸了四十九天的經──

蕭母：（接著說）然後，就在這個院子裡，阿婆和我，把他

爸爸的衣服、文書和全部的照片通通燒給他。（阿

婆吃力地走回長凳邊坐下，蕭母地情緒由苦笑轉悲傷）

佑珊：（補充蕭母的敘述）我媽媽一邊燒嘴裡還一邊唸──

蕭母：（抱著嬰兒，開始以客語複誦當時招魂的禱詞）──「今有河南堂梅軒公派下蕭公寶炎本籍廣東省梅縣人，恭請蕭氏列祖列宗接引蕭公轉原鄉噢！蕭寶炎轉原鄉噢！蕭寶炎轉原鄉噢！」（佑珊同步翻譯給修國聽）

△　蕭母、佑珊母女淒涼地，同聲呼喚父親歸鄉。始終保持沉默的阿婆，此時亦起身，跟著佑珊母女的呼喚，以老邁衰微的聲音喊著。

阿婆：（客語）──轉原鄉噢！

△　修國轉身不忍聽，燈光漸暗。

S7

夜奔

時間：

（昔）1949年5月30日。

場景：

村市集。

角色：

劉祕書、李父、母親、幼年大哥、幼年大姐、海濱、添才（母親懷中嬰兒）。

△　清晨，天色幽暗。李父在村市集一角著急地徘徊。稍頃，劉祕書帶著公文封，上。

劉祕書：大哥！過了這個村沒這個店，市政府那兒我都打點妥當了，把嫂子、孩子全帶上，愈早走愈保命！

李父：（山東話，以下皆同）俺估計共產黨鬧不了幾年，俺帶著家小往南方走不行嗎？！

劉祕書：（急）不行哪！上個月底解放軍過了長江，一個禮拜前上海已經淪陷了。

△　母親抱著添才，身後跟著幼年大姐，自外上。

母親：劉祕書！你帶俺們往哪兒走哇？

劉祕書：跟著劉安祺將軍走。

母親：（識不得，大咧咧問）誰？

劉祕書：後天六月一號端午節下午四點鐘，青島港開船。

李父：不能過了端午再走？！俺家裡粽子都包好了。

劉祕書：（急）保命要緊，吃粽子在哪裡不能吃？

母親：怎麼去啊！？

劉祕書：坐火車去！鐵路還能通。（交代母親）嫂子！家當別帶多，孩子和值錢的帶著就行了。（李父、母親吩咐幼年大姐回家去帶大哥、海濱，幼年大姐，下。劉祕書交代李父一長串逃難路線）今兒晚上離了村子，走到望城上火車──記住是藍烟線！往南別往北，往北去

了烟台，那就到我老家，那兒共產黨更多！——
您坐上藍烟線火車往南過夏格庄鎮、瓦戈庄鎮、
泉庄、太祉庄、七級鎮，在藍村鎮左拐過南泉
鎮、西元庄、流亭鎮、李村鎮，到了滄口站……
（劉祕書一口氣數下來，李父與母親聽得糊里糊塗）

母親：（順口接話）下車啦？

劉祕書：（急吼）別下車！（李父、母親戰戰兢兢聽著，劉祕書接著
解釋）還有兩站，您過了四方站，在大港站下火
車。出了前站正前方走十分鐘，到了碼頭您就看
見那大軍艦了。

李父：（不耐煩）你就說上了火車就到青島碼頭！你講話真
囉唆！

△　幼年大哥、幼年大姐、海濱提著行李，上。李父上前
招呼孩子，母親追問劉祕書。

母親：劉祕書，俺們坐軍艦上哪兒去？

李父：（急罵母親）妳不懂什麼都別問！（見左右無人，才悄聲告
訴母親）去台灣啊！

母親：（大聲）台灣？（劉祕書、李父忙要母親低聲）

劉祕書：（叮嚀李父）到了台灣，軍人不下船！大哥您一家子
跟三十二軍第二五二師去海南島。

李父：（驚訝）去海南島幹什麼？

劉祕書：（理所當然）打仗啊！

李父：打什麼仗？俺是個老百姓！（驚慌）俺老百姓不會打仗……！

劉祕書：（情急解釋）是個老百姓您就上不了船！（對李父說明）物價漲的厲害，三個禮拜之前有個上海逃難的老百姓說要買一張中興輪的二等票，您知道得花多少錢！？（李父追問答案，劉祕書宣布）中央銀行發行的金元券，八千萬塊一張！（李父吃驚）他一家五口大的、三口小的得花四億三千萬買八張船票才能走，光那些鈔票就得用三大麻袋扛著！

母親：（天真地問）他們走了嗎？！

劉祕書：（見母親天真，急得大吼）四億三千萬買八張船票，誰買得起呀！（嬰兒哭聲響起，李父忙要劉祕書輕聲。劉祕書對李父道歉）對不起！……大哥！小老弟別的本事沒有，走後門還有兩手……（劉祕書接著說明）大哥！我給您買了個兵籍，安了個軍人身份，只要是國軍就可以帶著眷屬家小就能上船，走一步是一步吧！（李父與母親商量著，劉祕書拆開公文封，取出公文宣布）大哥！您現在的身份是劉安祺將軍的部屬，我給您安在第三十二軍二五二師七五六團第

一營第三連第三排第三班，您佔的空缺是——炊事員。

李父：（笑，不解）吹事員是個什麼兵？吹什麼東西？

母親：（過度緊張，亂接話，問李父）吹喇叭的？你會吹嗎？！

李父：（又驚慌起來）俺不會呀！俺不會吹喇叭啊！俺是個作鞋的啊！俺不會吹喇叭啊！

劉祕書：（說明）炊事就是灶上炒菜、伙房煮飯的伙伕兵我們叫他炊事員。

李父：（鬆一口氣）炒菜？做飯？不是吹喇叭的啊……（李父又猶疑起來）不行啊！俺不會炒菜不會煮飯……

母親：（氣得頓腳，罵李父）生米都不會煮成熟飯！你不走，就等著共產黨清算鬥爭！（對劉祕書自告奮勇）劉祕書！俺頂！俺頂一個伙伕兵，俺給大家燒菜做飯！

劉祕書：（無奈）嫂子，都是男的打仗沒有女兵啊！（李父、母親再度一籌莫展。劉祕書轉勸李父）大哥！這年頭，家國雖好莫久戀。老大娘貞節牌坊四個大字怎麼寫的？——「脈存一線」！連夜帶著家小走吧！（李父、母親被說動。母親欲向劉祕書下跪，劉祕書連忙扶起母親）

△　母親帶著孩子、行李欲下，李父接過公文封，臨別前，李父帶領全家給劉祕書鞠躬致謝，劉祕書亦鞠躬回禮。

△　燈光漸暗，砲火聲轟隆作響。

S8

勞軍

時間：

1951年5月18日，深夜。

場景：

山林曠野。背景繪著幽暗的密林，場上散置草叢。

角色：

愛民、翠玉、崔連長、志願軍十六人。

△　戰火聲轟隆。

△　白紗幕上投影一段黑白影片，內容為 1950 年 6 月 25 日朝鮮內戰相關紀錄片的剪輯片段。

△　白紗幕上投影著砲火轟隆的戰爭畫面。燈漸亮，翠玉已在場上。稍頃，愛民上。兩人身上各自穿著秧歌、竹板快書的表演服裝，並在外頭加披了一件外套。

翠玉：（急問愛民）打聽到什麼消息沒？

愛民：前天咱們在新義州慰勞五十軍不是？

翠玉：（急）我問海南島國民黨卅二軍怎麼了？

愛民：（忙要翠玉噤聲）小點聲！（翠玉靜下來，愛民才悄悄告訴翠玉）去年四月吃了敗仗撤退到台灣去了，這機密別傳啊！

△　投影畫面結束，白紗幕，升。遠方繼續傳來轟隆砲火聲。

翠玉：哪裡聽來的啊？

愛民：五十軍一位姓莫的團政委給我的情報，放心了吧！（安慰翠玉）妳大姐和做鞋的一家子肯定去了台灣！

翠玉：（向上天祝禱）娘親在上，您得保佑大姐一家安安康康啊！

△　場上突有光芒一閃，砲火聲響起。翠玉、愛民嚇得趴在地上各自尋找掩護。

△　稍頃，愛民起身，低聲安撫翠玉。

愛民：沒事、沒事！

△　翠玉失笑，爬起身。愛民還在觀察四周動靜，翠玉找
　　了個地方，欲脫褲子解大號。

愛民：翠玉妳幹嘛啊？

翠玉：人還沒來，我快忍不住了……

愛民：（急）嘻！翠玉妳要拉野屎也得先摸清楚敵我狀況，
　　這可是前線！

翠玉：黑燈瞎火的誰能瞧見我拉野屎！？

愛民：誰知道方圓百米會不會冒出鬼子兵？！憋一會兒，
　　我讓崔連長派幾個兵保護妳。活人又不會讓一泡
　　屎給憋死——

△　愛民還在叨叨勸著，翠玉忍不住，脫下褲子欲解大號。

△　崔連長自外笑著，走上。翠玉慌忙穿褲子，愛民脫下
　　外套幫她遮掩。

愛民：崔連長！翠玉同志和我都萬分感激崔連長您對我們
　　特別關照！

崔連長：（繞過愛民對翠玉說）翠玉同志！妳給戰士們帶來的
　　〈唱起來扭起來〉勝利秧歌真能振奮弟兄們的士
　　氣！好比毛主席說的一句話——（學毛主席口音說
　　話）「女人能撐半邊天！」——戰鬥勝利妳也佔一
　　大半功勞！（緊握翠玉的手不放）

翠玉：（勉強掙脫）感謝崔連長的抬舉！

△　遠方仍不斷傳來轟隆砲火聲。

崔連長：（轉向愛民寒暄）吳愛民同志！你表現的快書段子猶如投槍匕首沉重地打擊了敵人、有力地鼓舞了志願軍戰士們的鬥志，不愧是文藝輕騎兵啊！

翠玉：（腹痛難忍，拉著愛民低聲道）我不行了——

愛民：（命令翠玉）憋著！（若無其事地轉向崔連長）崔連長，您派的人怎麼樣了？

崔連長：我派了一個班的兵來保護翠玉同志……（向外看）來了！

△　十六個志願軍荷彈持槍自外上。志願軍小跑步至定點。

班長：站住！往左轉！敬禮！完畢！（志願軍遵照班長口令，動作）

崔連長：（與志願軍敬禮畢，轉向愛民介紹）這是我們一個班編制十六個兵！（拉過翠玉）翠玉同志，請！班長帶頭圍著翠玉同志轉個大圈。

△　班長下令。

班長：往右轉！往前跑！站住！往右轉！

△　十六個志願軍依口令圍成圈，面對著翠玉。

翠玉：（為難地解釋）你們不能面對著看我拉野屎啊！

愛民： 崔連長，這樣恐怕不太方便。

崔連長：（聞言命令眾兵）聽口令！向後轉！（眾兵向後轉，仍背
　　　　對著翠玉圍了個圈）單號班兵採立姿，雙號班兵採
　　　　跪姿。通通有，朝各自正前方持槍警戒，開始！
　　　　（十六個兵依口令就位警戒，崔連長熱情招呼翠玉拉屎）翠
　　　　玉同志來！沒關係很安全啊！

△　　愛民連忙將崔連長拉到旁邊。

愛民： 崔連長，您在這裡保護我們更安全！

△　　翠玉在圈圈裡脫褲子，蹲下。

翠玉：（高聲感謝眾人）感謝崔連長，也謝謝志願軍戰士
　　　們——

崔連長： 翠玉同志您別說話了，妳放寬心完成任務吧！

愛民： 崔連長，十六個班兵保護一個女同志拉野屎，瞧這
　　　場面多感動人啊！

崔連長： 真感人！

△　　燈光乍亮。眾人抬頭看天空。

愛民：（驚訝）天亮了啊？

崔連長：（看向天空，向志願軍大喊）敵軍照明彈！是空襲！對空
　　　　射擊！

△　　在崔連長號令下，十六個班兵對空鳴槍，崔連長亦拔
　　　出短槍對空射擊。翠玉狼狽，來不及反應。

△　場上炮火四起、煙硝瀰漫，此起彼落。軍機聲、炮火聲、轟炸聲等音效同時響起。

△　場上眾人一一倒地，惟有愛民趴在地上苟延殘喘。

△　砲火聲中，燈光漸暗。

△　大幕落。

──中場休息──

S9

抓俘虜

時間：

1951年5月18日，黃昏。

場景：

前線陣地廣場上。

角色：

愛民、翠玉、崔連長、秧歌舞者九名、志願軍八十人。

△　大幕開啟前，場上響起機關槍、戰鬥機掃射之音效。

△　大幕啟。白紗幕上投影朝鮮內戰的影片，內容為中國人民志願軍正越過鴨綠江，開赴朝鮮戰場的畫面。

△　燈漸亮。

△　白紗幕後，崔連長帶領志願軍的部隊，規律地小跑步上。在崔連長喝令之下，眾軍整齊地圍成一圈坐下。

△　愛民走到場中央，表演竹板快書《抓俘虜》。白紗幕上的行軍影像漸漸淡出，白紗幕升起。。

愛民：（竹板快書）冬天的夜裡寒風刮，陣陣飄來青雪花。在朝鮮，三八線以北山連山，山高道窄路又滑。四下裡，靜悄悄的無聲響，往山上看，有兩個人影往上爬。他們是，志願軍的電話員，半夜裡出來把線查。頭裡走的是金明啟，身後邊緊跟李文華。他們倆，順著山路往東走，途經一座小木屋，裡邊說話的聲音喊喊又喳喳。那正是被咱打散的洋鬼子兵，在深山裡邊到處藏來到處趴——（愛民學金明啟與李文華的對白）「哎，我說小李啊，咱得提高警覺……我先上前去偵查！」「老金，這任務你交給我吧，練本領……我也要見縫把針插！」——（愛民一邊比劃著動作）只見小李把手榴彈擰開蓋，拉出弦，從窗戶眼裡塞進去，「碰」！不

得了！就聽見轟隆一聲響，在房子裡邊開了花。
鑽窗戶的洋鬼子被炸死，還有個洋鬼子把眼崩
瞎。那幾個，叫煙嗆得直咳嗽，另一個，一下子
崩掉倆門牙，（學洋鬼子兵痛苦叫喊）「Oh!Oh!Oh!…
Oh my god!」——哎！金明啟、李文華，押著俘虜
歸了隊，把情況匯報給首長和大家。武器繳獲真
不少，俘虜抓了整一打。首長通報來嘉獎，立功
報喜寄回家！

△　愛民書畢，一陣沉默。崔連長從人群中站起，帶頭領
　　導百名志願軍，按照特定節奏鼓掌感謝愛民。

崔連長： 我代表咱們連隊全體志願軍戰士們，謝謝吳愛民同
　　　志給咱帶來精采的竹板快書《抓俘虜》！（對愛民）
　　　對大家說句話！

愛民：（激昂的發表演說）崔連長！在朝鮮前線英勇的志願軍
　　　戰士們！在戰場上說書生平頭一回，我得由衷地
　　　感謝中國人民抗美援朝總會以及中國人民赴朝慰
　　　問團所屬文工團指派給小弟愛民參與前線勞軍的
　　　光榮任務！讓小弟愛民深刻體會並參與了這場戰
　　　鬥——抗美援朝保家衛國的神聖戰鬥一定能取得
　　　最後勝利！

△　連長率百人志願軍鼓掌。愛民退到一旁。

崔連長： 接下來讓我們歡迎文工團王翠玉同志。

　△　翠玉自外，上。

崔連長：（吩咐翠玉）跟大家說句話！

　△　翠玉對志願軍致詞，亦是官腔，語調更為誇張激昂，愛民在旁不時以動作呼應翠玉。

翠玉： 在槍林彈雨、硝煙瀰漫的戰場上，愛民同志和我都感受和經驗到新的嚴峻考驗。我們強烈感受到我們的生命和命運都緊密地跟黨和人民和志願軍戰士們的事業連接在一起！

崔連長：（熱烈鼓掌）今天給咱帶來什麼表演？

翠玉： 為了保家衛國戰鬥勝利，我率領秧歌隊代表中國農民群眾，為全體志願軍戰士們帶來這支象徵解放南朝鮮、勝利慶豐收的歌唱、舞蹈表演──〈唱起來扭起來〉！

崔連長： 熱烈歡迎！

　△　秧歌〈唱起來扭起來〉樂音揚起。九名秧歌舞者，上。愛民、崔連長，下。

　△　翠玉及九名秧歌舞者，又舞又唱。

配樂：（OS歌聲）「唱起來扭起來，扭起來唱起來，帶著笑容來，帶著熱情來。唱得芽兒發，扭得花兒開，我們快樂多自在，我們快樂多自在！唱起來扭起

來，扭起來唱起來，唱出眼淚來，跳出大汗來。唱得香花紅艷艷，扭得芳草綠茵茵，我們快樂多開懷，我們快樂多開懷！我們唱起來扭起來，我們扭起來唱起來，我們唱起來——」

△　秧歌隊歌舞畢，靜止不動。崔連長上前帶領志願軍。

崔連長： 全體志願軍戰士們，站起來！拍手！

△　志願軍全數起立，崔連長再度領導志願軍百人按照規律而制式的節拍鼓掌。

△　崔連長帶領部隊小跑步下場，志願軍發出整齊的呼喊聲。

△　燈光漸暗。

S10

婚嫁

時間：

（A）1963年4月24日，早晨。

（B）1966年7月24日，黃昏。

場景：

中華商場的長廊。數戶人家的門廊斜斜地橫亙整個舞台。

角色：

（A）張醫師、大姐、少年修國、修國。

（B）姐夫、大哥、二哥、小妹、少年修國、伴娘甲、乙、大姐、李父、劉祕書。

△　　火車行進聲。

△　　白紗幕上投影一段影片，內容為一列火車在綿長、無止盡的軌道上不停往前。

△　　長廊前半部，修國家門外的空間亮起。大姐在門口鞠躬送張醫師。

大姐： 謝謝！謝謝張醫師。

△　　張醫師往外，下。與此同時，少年修國自外上，他和張醫師擦身而過，也給張醫師鞠了個躬。

△　　燈光自修國家門一路延伸至長廊的深處。

△　　修國出現在長廊另一端，遠遠旁觀著這段回憶。

△　　白紗幕上的影像定格在火車將出隧道前一刻，隧道口透出強烈的光芒。

少年修國： 姐！醫生來我們家幹什麼！？

大姐： 媽媽想老家，整天在床上自言自語。爸爸給她找個醫師看看，張醫師說媽媽的病沒藥治。

少年修國：（著急地問）什麼病！？

大姐：（低聲說）精神神經病……

少年修國：（難以接受）媽媽是神經病？

大姐： 坐在床上整天想老家就是思鄉病嘛！哪裡是神經病……！？

△　　白紗幕，升。

△　　大姐進到門內，下。修國緩緩走向年少的自己，兩人開始一場對談。

修國：（喚少年修國）修國。

少年修國：（疑惑地）我不認識你啊？

修國：我是四十年以後的你。

少年修國：（有些迷惑、又有些好奇）你從哪裡來？

修國：回憶！我從回憶裡找到了這個時間裡的你，我只想問你，今天……大姐是怎麼和我說媽媽的病？

少年修國：（逃避）你去問大姐啊！

修國：有些往事大姐也不願意說，或許是她忘記了，或許是她不想告訴我，我只能來找你問你，媽媽究竟怎麼了？

△　大姐拉開大門，自內室，上。

大姐：（吩咐少年修國）看著媽媽，我去板橋遠東紡織廠，今天小夜班。（大姐拎著手提袋，欲下）

修國：（趕緊催促少年修國）修國！去問大姐，是什麼原因造成媽媽的病！？

少年修國：（叫住大姐）大姐！媽媽真的是想老家想瘋了嗎！？

大姐：（原本低頭翻找著手提袋裡的東西，聞言緩緩抬起頭來看著少年修國。她停了一會，平靜地說）那是原因之一，我想真正的原因出在中華路那幾年。（將少年修國拉到一邊，小心不讓門內的母親聽到）七棟後面的大廟以前叫做西本願寺，裡面住著一個叫楊小姐的……（大

姐說起楊小姐仍有些不平）

修國：（催促少年修國問）楊小姐是誰？

少年修國：（應命，問大姐）姐！誰是楊小姐？

大姐：（回憶著）應該是……一九五五年吧，楊小姐跟著大
陳島的軍民撤退到台灣，他們是最後一批撤退到
台灣的外省人，爸爸不安份跟她有牽扯……（大
姐嘆了一口氣，低頭回想）那個時候，媽媽懷著你，
再過兩個月就快要生了。那天下午媽媽看見爸
爸塞了一把錢給楊小姐，就覺得他們兩個有曖
昧。媽媽挺著個大肚子，從屋子裡衝出來，死拽
著楊小姐的頭髮又踢又打。當天晚上……（大姐
難過地停頓一會，才又繼續說下去）當天晚上，爸爸就
把媽媽綁在一張椅子上，到第二天晚上十點鐘也
不給她一口飯吃……（少年修國聞言為母親哀嘆著，
大姐話題轉到方才的電影上）剛才我帶你去大世界戲
院看《梁山伯與祝英台》，之後，走出大世界我
的眼皮就一直跳，腦袋裡只有梁山伯唱的那一
句唱詞不斷地重複——（學黃梅調唱著）「吞聲忍淚
別卿去——」（唱畢，泫然欲泣）我好像看見媽媽在
唱……

△　少年修國看著傷懷的大姐，不知所措。

大姐：（重整心情，吩咐修國）記得看著媽媽。

少年修國：姐！

△　大姐拍拍少年修國，往外下。

少年修國：（責問修國）爸爸有外遇，大姐說得這麼清楚你都不記得？

修國：（沉默半晌，尷尬地答）我全忘光了。

少年修國：（擔憂地看著門內）媽媽後來怎麼樣了？

修國：（看著修國家大門，對少年修國說）一直到一九七三年，整整十年，媽媽從來就沒有跨出過這個大門。在那十年裡的你，一直不敢讓鄰居、同學知道妳的家裡有個媽媽是神經病！

△　燈暗，稍頃，復又亮起，時空切換至1966年7月24日大姐出嫁那天。場上是同樣的長廊，燈光轉為黃昏的夕陽光芒，修國家門上掛著婚禮迎娶用的八仙彩幛。西裝筆挺的姐夫站在門外。稍頃，大哥、二哥、小妹、少年修國，各自提著數盒喜餅，推開大門自內室上。

姐夫：（招呼眾人）大伙都上車吧！大弟帶著二弟、修國、小芬[20]在樓下李大吉[21]門口，黑頭的，裕隆，別上錯車了。

20　小妹的小名。
20　修國中華路舊家樓下的商家，為台北灣老字號禮品店。

小妹： 新娘子出來囉！

△　穿著白紗禮服的大姐自內室上，身後跟著伴娘甲、乙。

大姐：（沮喪地告訴姊夫）媽媽說什麼也不願意去會賓樓。

姐夫：（驚訝）觀禮就少一位主婚人。

大哥：（亦說著一口山東話。大哥故做輕鬆要大家別在意）沒說的、沒說的。

△　伴娘甲忙著拿相機替大夥拍照。

△　李父、劉祕書，自內室上。

劉祕書：（倚門，對內室呼喊）大嫂子，您不去就看著家吧！

李父： 她是什麼毛病又犯了？不理她！走吧！

△　李父不斷催促，姐夫率大姐、大哥、二哥、小妹、伴娘甲、乙，陸續下。

△　少年修國欲跟著下，劉祕書攔住少年修國，拿起他手上的一盒喜餅檢查。

劉祕書：（慎重地告訴李父）大哥！您這喜餅不能送人！

李父： 吃完喜酒一家帶一盒，怎麼不能送人？

劉祕書：（將喜餅遞向李父）您上下左右裡裡外外看看，少了什麼？

李父：（看不出名堂）少了什麼？

劉祕書： 誰訂的喜餅？

李父： 俺啊！過了鐵路，貴陽街二段台華麵包店訂的。

劉祕書：（緊張）大哥您糊塗呀！禮盒上一定要印幾個字——「檢舉匪諜人人有責，知匪不報與匪同罪」——萬一您讓人檢舉不愛國，到時候是抓麵包店老闆還是抓你？

李父：（為難）錢都給了不能退呀！

少年修國：（插嘴）十六個字找人寫成一張紙條貼在禮盒上嘛！

  △ 劉祕書大讚少年修國聰明。

李父：（喝叱少年修國）你出什麼主意？進你娘的！

  △ 李父欲打少年修國，少年修國調皮躲開。

劉祕書：大哥！您女兒嫁人能不能延後三天辦！？

  △ 李父啐了劉祕書一口。燈光暗。

  △ 婚禮迎娶的鼓吹音樂響起。

S11

迎娶

時間：

1931年12月30日，午後。

場景：

村市集。

角色：

李父、劉祕書、母親、娘親、轎夫甲、乙、轎花堂隊六人。

△　燈光漸亮，村市集，場上一片紅光，象徵婚禮的喜氣氛圍。轎花堂隊的六個鼓樂手前導，引領轎夫扛著花轎上，娘親與劉祕書跟在一旁。

△　稍頃，李父身穿新郎官的紅馬掛，帶著一雙繡花鞋，自外上。

李父：（大聲阻止眾人）別吹、別打了！也別抬了！（轎夫放下花轎，鼓樂手停止吹奏，李父對著花轎呼喝）那個冒牌新娘給俺下轎子！

娘親：（上前，質問李父）做鞋的！俺兩個閨女都是一個娘胎生的，哪個配你不一樣？

李父：（拿出繡花鞋爭論）老娘親！妳望望，繡花鞋是給翠玉穿的，姐姐上花轎算哪一樁？……（李父上前，拍著轎子不斷呼喝）妳下轎。

劉祕書：（上前勸李父）大哥！娶媳婦就為了給您煮飯、洗衣裳、生一窩孩子，總比我當個光棍強，湊和吧！

（眾人附和）

李父：（駁斥劉祕書）你湊合，花轎你抬回家！到底算哪一樁？劉祕書！俺要的是隻鳳凰，不是隻老母雞！

△　母親拎著裙擺，光著腳跨出轎桿，與李父大吵。

母親：老母雞還是個在室女！（母親出了轎子，她身穿大紅嫁衣，聽到李父的話，氣得扯下蓋頭回罵李父）頂替翠玉嫁

給你，委屈的是俺！窩囊的是俺！你有什麼好清
高的啊！？

娘親：（在旁不斷阻止母親）沒說的、沒說的！⋯⋯（母親忿忿
走開，娘親上前向李父低聲解釋）做鞋的！俺說翠玉和
說書的跑了，上哪找去？

李父：（堅持）街上沒有市上找，市上沒有上江邊找⋯⋯
兩個人能跑多遠？把萊陽縣翻過來找就能找到！
（一旁，母親欲再上轎，李父忙擋住轎口，罵母親）上什麼
轎？不要上！（轉頭吩咐劉祕書）劉祕書，你上轎霸
著不讓她上！

△　李父硬要劉祕書上花轎。

劉祕書：（萬般不願）我上轎？不就成了武松扮新娘了？

△　眾人爭執，鼓樂手在旁鼓譟喧嘩。轎夫甲突然大聲喝
止眾人。

轎夫甲：諸位親家！今兒大喜好日子，咱們轎花堂隊還得去
隔壁朱翠村，你們慢慢商量！哥兒們！趕場去！

△　轎夫甲領著轎夫乙、轎花堂隊六人，不顧娘親的阻
攔，下。場上剩下母親、娘親、李父、劉祕書，還有
一頂空轎子。

母親：（拉著著急的娘親，堅定地告訴娘親）娘！您甭管了，上
了轎俺姓李不姓王，您回家去吧！

△　娘親安心下來，欲下，走了幾步，又轉身走向李父。

娘親：（命令李父）做鞋的，你，站好！（李父提防著，小心翼翼。娘親警告李父）做鞋的！你敢虧待俺閨女，俺能叫你死都沒地方！中不中[22]？……（李父遲疑，不願回答。娘親厲聲質問李父）中不中！

△　劉祕書在旁示意李父答應下來，李父只好應聲。

李父：中！

母親：（上前安撫娘親）娘！他不會！回家去！妳回家去！

△　娘親被母親哄下，走到台邊，仍不放心地觀望場上。

母親：（轉頭對李父）老母雞上花轎了啊！（母親搶過李父手中的繡花鞋走進花轎，李父無奈。母親上轎前又轉身教訓李父）做鞋的！狼走天下都吃肉，狗在家裡也轉圈……俺這隻千金小姐老母雞，你給俺擔上吧！（母親套上繡花鞋，進了轎子，大模大樣地呼喊）起轎！

△　劉祕書上前勸李父扛轎，娘親在旁擔心地催促李父。

娘親：中麼？

△　李父還在遲疑，劉祕書強押著李父鞠躬。

劉祕書：（押著李父接話）中！（自己走到轎後，對李父吆喝）大哥！你上前頭我在後邊，走吧！

△　李父匆忙走到轎前，劉祕書走至轎後。

21　山東話，意指「行不行」。

劉祕書：（學著轎夫大喊）起轎了呀！

　　△　婚禮鼓吹的嗩吶聲再度揚起。

　　△　燈光漸暗。

S12

外遇

時間：

1967 年 12 月 30 日，晚上六時。

場景：

修國家內室景。

角色：

大姐、姐夫、少年修國、劉祕書、李父、母親、楊小姐。

△　燈漸亮，場上從一片紅光漸轉為黯淡的冷調光芒。姊夫在客廳翻閱報紙，身懷九個月身孕的大姐坐在臥室床上。

大姐： 去圓環戲院，十二路公車一條線，看完還坐十二路回家。

△　姊夫答應著。少年修國穿著中學制服，提著尿桶，自外推開大門，上。

大姐：（招呼少年修國）修國，要不要吃桃酥？姊夫買的喔！

少年修國：（興高采烈）我最喜歡吃桃酥了。

△　姊夫打開桌上的一盒桃酥，拿了一塊給少年修國，順手接過少年修國手上的尿桶。

△　少年修國吃著桃酥，讚不絕口。

姊夫：（問少年修國）修國！這個是什麼？（大姐見狀，已來不及阻止姊夫）

少年修國： 尿桶，（姊夫愣住，大姐不好意思地笑出聲來，少年修國繼續解釋著）媽媽的屎尿每天都是我拿去廁所倒。

△　母親，自舞台右側上。

大姐：（吩咐姊夫）拿個桃酥給媽媽吃。（向母親）王得成說，這家的桃酥是個萊陽人做的。

△　姊夫忙拿了塊桃酥送給母親，母親意興闌珊地推開。

母親：（吩咐眾人）你們吃、你們吃。

△　姊夫將桃酥遞給少年修國。

姊夫： 把它放在碗裡，加點熱水，吃起來像麵茶！

△ 少年修國接過桃酥，眾人笑了。

大姐：（在臥室內招呼少年修國）修國，待會我要和姐夫要去看電影，你去不去？

少年修國：（毫不猶豫）去！

姐夫： 羅烈、王羽演的《邊城三俠》，看不看！？

少年修國： 看！我最喜歡羅烈！（邊說邊模仿羅烈打鬥的樣子）

△ 李父、劉祕書，自外推開大門上，兩人一邊交談著。

△ 楊小姐在門外徘徊，猶豫著要不要進門。

劉祕書： 文化大革命鬧了兩年了！

李父： 俺估計頂多一年，俺們準備回大陸吧！

△ 李父和劉祕書在客廳聊天，大姐與母親在臥室內說話。

△ 楊小姐突然自外推門而入，室內歡快的氣氛一下子凝結起來。母親緊繃地盯著楊小姐，李父尷尬地抓頭。

楊小姐：（鼓起勇氣問李父）李師傅！你方便和我說句話嗎！？

△ 李父不答腔，劉祕書試圖緩和氣氛。

劉祕書：（起身招呼楊小姐）喲！？這不是楊小姐嗎！？

△ 李父示意劉祕書穩住母親，劉祕書進臥室試圖向母親解釋。

李父：（起身走向楊小姐，故做若無其事）妳來收會錢是吧？（拉開客廳桌子抽屜，拿出一個鐵盒）

△　李父招呼楊小姐到客廳坐下。少年修國走到一旁悄悄關上大門，李父喝叱他。

李父：（大罵少年修國）你幹什麼！

少年修國：（無辜地）關門。

李父：（喝叱）把門打開！通通打開！

△　少年修國打開大門，李父又狠狠罵了一句。

李父：（向少年修國）進你娘的！……（轉向楊小姐，客氣招呼）都給妳準備好了，打個電話來，俺就送去了嘛！

△　李父打開鐵盒，掏出一疊鈔票遞給楊小姐。

△　母親在臥室內，對李父的反應氣憤不已。

母親：（忿忿不平地問劉祕書）他罵兒子怎麼的？

△　母親說完，走出臥室欲跟李父理論。她從李父、楊小姐手上搶過錢，三人握著錢僵持不下。

母親：（向楊小姐）拿回來！

楊小姐：（怯怯地解釋，但未鬆手）我不是來要錢的。

李父：（信口掩飾）她不是來要錢的。

母親：（不斷罵李父）做鞋的！你偷雞摸狗拔蒜苗[23]！你說斷了她今天還找上門！

△　李父連聲駁斥，劉祕書趕緊上前調解。

劉祕書：（拉著母親）大嫂子！不是那麼回事！

22　山東俗諺，形容小偷偷走了雞、狗，臨去前還再拔走一把蒜苗。指一而再、再而三地進行苟且之事。

母親：（推開劉祕書，罵）嫁給你大哥，俺一不圖門口懸塊貞節匾二不圖節烈牌坊三丈高。他兩個在一起十年沒斷線，俺算哪根蔥？

△　少年修國悄悄關上大門，以免家醜外揚。劉祕書加入戰局，一把搶過錢。

劉祕書：（舉著錢走到一旁，大聲宣布）我拿著！我拿著！

李父：（喝叱劉祕書）你拿著幹什麼！？你把錢給她！

△　李父示意劉祕書將錢拿給楊小姐，母親恫嚇地瞪劉祕書一眼。

劉祕書：（嚇得馬上把錢收起來）擱我這、擱我這！

△　劉祕書退到一旁，母親上前，咄咄逼人地質問楊小姐。

母親：妳來幹什麼？

△　楊小姐退縮，李父命令母親退下，母親毫不退讓，繼續逼問楊小姐。

母親：妳來幹什麼？啊？

楊小姐：我是來跟李師父說……

△　楊小姐話未畢，母親一把揪住楊小姐頭髮，兩人僵持扭打。

楊小姐：李太！妳把手放開！

母親：（打罵楊小姐）妳不要臉的狐狸精！

劉祕書：（上前欲調解，但拉不開二人）大嫂子！這麼衝動為哪樁？

李父：(動怒，示意劉祕書)不要拉！不要勸！

　△　大姐上前幫著打罵楊小姐，要她放開母親。李父轉過身，故做不在乎地看起報紙。姊夫上前將大姐勸到一旁。

楊小姐：妳聽我講清楚！我來和李師傅說我要結婚了。

母親：(打楊小姐一巴掌)妳放屁！

　△　母親不信，仍歇斯底里扭打楊小姐。

李父：(突然大喝一聲)妳出去！

劉祕書：(幫著李父罵)楊小姐，妳出去！

大姐：(跟著罵楊小姐)妳出去！

李父：(對劉祕書)不是她，(指母親)小嫚她媽媽，妳給俺出去！

大姐：
　　　(詫異，同聲抗議)爸！

少年修國：

　△　李父的反應讓母親更加憤怒，她將楊小姐一把推進臥室，楊小姐跌在床上。

母親：(對眾人吼)出去！你們都出去！

　△　臥室內，母親與楊小姐在床上扭打。客廳裡，其他人面面相覷，試圖裝作若無其事。

劉祕書：小嫚！你們晚上要去看什麼電影？

大姐：(忙亂中呼應劉祕書)《邊城三俠》武俠片。

姐夫：（幫腔）聽說打鬥場面很激烈。

劉祕書：（見狀趕緊催大姐）快走吧！去晚了買不到票。

△ 臥室內，母親將楊小姐壓在床上打。李父催大姐、姊夫、少年修國出門。

母親：（每罵一句就打一巴掌）賤貨、賤貨！

楊小姐：（被母親掐得喘不過氣，哀求）李太！妳放手，我立刻走。永遠不會再來妳家！

母親：（依然罵一聲，打一下）俺不蒸饅頭也得爭口氣！今天老娘存心不讓妳走出這個門！

△ 大姐、姊夫、少年修國，三人下。劉祕書忙要李父上前勸架，李父冷冷地看了一眼臥室，轉身拿了一雙戲靴，亦要出門。

劉祕書：（詫異地叫住李父）您上哪兒去？

李父：去藝術館給胡少安[24]送雙戲鞋，走吧！今天唱《奇冤報[25]》。

△ 楊小姐掙脫母親，狼狽地爬到臥室門口。

楊小姐：（呼喚李父，求援）李師傅……！

△ 李父示意劉祕書將錢拿給楊小姐後，頭也不回的走出門，下。楊小姐又被母親拖回臥室扭打。

---

23 台灣京劇名角（西元1925~2001年）。

24 京劇劇目，為包青天審冤故事。本劇乃名劇《烏盆記》的前一本，內容描述劉世昌主僕遭到村夫趙大謀財害命的過程。李父提及此劇，暗喻自己乃是冤枉的。

△　劉祕書獨自一人留在客廳裡，不知所措。他收好錢，對臥室內的母親大喊。

劉祕書： 大嫂子，楊小姐您就讓她走吧！要不大哥真能趕妳出家門。

母親： （仍不放開楊小姐，喊）趕出門，俺一個人走在路上也不怕！

劉祕書： （急，上前問母親）妳真走出這個門怎麼過日子？

母親： （倔強地）凍死迎風站，餓死不出聲！（母親悲憤地哭出聲，對劉祕書喊）你走！把門給俺帶上！

△　劉祕書無奈，只得依言往外走，帶上門，下。

母親： （不顧楊小姐的哭求，狠狠地揪著她打罵）今天俺讓妳死都沒地方！

△　燈光漸暗。

S13

族譜

時間：

2003年10月31日，深夜。

場景：

佑珊娘家的三合院。

角色：

蕭母、展雄、小雲、阿婆、修國、佑珊。

△　客家戲曲伴奏聲響起。

△　燈漸亮，小雲手拿行李，氣沖沖自三合院內室走出，展雄追在後頭。

展雄：（攔住小雲勸說）小雲！就先睡我房間嘛……

△　小雲態度軟化，兩人和好。另一角，阿婆抱著小竹凳，上。

阿婆：（客語）阿雄啊……

展雄：（看見阿婆，假意大聲命令小雲）晚上妳睡我爸的書房！明天六點起床，我和妳回高雄幫妳搬家……（展雄接過小雲的行李，欲將她帶回三合院）

△　阿婆在三合院前廣場坐下乘涼。

△　蕭母抱著棄嬰，自三合院內室上。展雄、小雲正好與蕭母打了個照面。

蕭母：（質問展雄）你去哪裡？

展雄：（亂扯）和小雲去KTV。

蕭母：蕭展雄！你現在就把這個小孩送到社會局去。（蕭母與小雲皆故意忽略彼此的存在）

展雄：（指責蕭母的無情，激動）他在呼吸，他有生命！他媽媽如果打電話給我，我就送還給她。

△　展雄將行李交還小雲，示意她進屋。

蕭母：（罵起前一樁事）死的你也不送走！

展雄：（無奈）現在大半夜我要送去哪裡！？

蕭母：（罵展雄）骨灰罈還是給我放在供桌上！？

△　修國帶著族譜，自內室，上。

展雄：（對蕭母）骨灰罈也是暫時寄放在家裡！電話、手機都不響，妳要我還給誰？荒謬嘛！

蕭母：（對展雄數落）你才荒謬！家裡平白無故多了三個陌生人，一個死的在供桌上，兩個活的——（指棄嬰與小雲）一個小、一個大都住在我們家。

△　小雲提著行李，怯怯地站在一旁，不發一語。

展雄：（向蕭母說）阿姨！我和小雲一年一個月，她不是陌生人。（拉過小雲，推向蕭母）小雲，妳講一句話！

△　小雲還想向展雄爭辯，展雄不容分說地命令她。

展雄：（對小雲）講！

△　小雲沉默半晌，上前挑釁地用閩南語對蕭母說話。

小雲：（閩南語）阿姨！展雄的計劃是希望我年底和他結婚！

△　小雲說完，提著行李欲下。蕭母在小雲身後罵著。

蕭母：（客語，向小雲）妳會講客家話嗎！？

小雲：（故意裝作聽不懂，回頭用閩南語高聲質問）啊？

△　展雄忙上前拉過蕭母解釋。

展雄：（對蕭母）她是客家人，不會講客家話也聽不懂。

蕭母：（以客語對展雄說教）夫妻不能用自己的母語吵架，這是一個悲哀，你知嗎！？

展雄：（指著修國，嘲弄地問蕭母）阿姨！屏東人嫁給山東人妳怎麼講？

△　蕭母無語，展雄走向小雲。

展雄：（故意教訓小雲給蕭母看）小雲！叫妳講一句話，妳真的只講一句？妳現在要開始看客家電視台學母語！

△　小雲不服氣，將行李丟在地上，忿忿地下。修國在院子裡翻閱祖譜，蕭母、阿婆在一旁。展雄轉向修國聊天。

展雄：我是勸你不要再搞舞台劇啦！連我都知道舞台上的故事一切都是假的嘛！（修國說不出話，展雄拉過修國，低聲）你的女兒就要出生了，這才是真的啊！

△　展雄說完，欲去追小雲，下。

蕭母：（對著展雄離去的身影吼）展雄！你把小雲的行李給我拿走！

△　蕭母提起行李，一邊以客語喃喃咒罵不像話的兒子，亦下。修國轉身，蹲在阿婆身邊，問起阿婆蕭家的歷史。

修國：阿婆！我剛剛在裡面看你們的族譜，為什麼這個封

面寫河南？

△　阿婆聽不懂修國的問題，修國又耐心地重複一次，阿
　　婆開始細細思索。

阿婆：（緩緩以客語道）河南是我過繼到蕭家家族，叫河南
　　堂。（修國不解其意，阿婆指著三合院門口的匾額讓修國
　　看，修國會意。阿婆用客語唸門口對聯給修國聽）你看那
　　裡有寫：「相傳八葉，文著六朝——河南堂」。（修
　　國總算瞭解阿婆的意思，阿婆索性一併聊起娘家的對聯）我
　　娘家是東海堂，對聯不一樣，在我娘家也有一副
　　對聯：「東南譽美源流遠，海岱清高世澤長——
　　東海堂」。（修國聽得一知半解，阿婆繼續解釋給修國聽）
　　我民國三年生，七歲就過繼給蕭家當細心舅[26]。

△　蕭母自外上，手裡還抱著棄嬰。

修國：（不明就裡，隨口模擬阿婆的發音）細心舅？

蕭母：（從旁插嘴，給修國解釋）是童養媳！

修國：（大吃一驚）是童養媳？我以為是「洗身軀[27]」！

△　蕭母笑了，向前加入修國與阿婆的聊天行列。阿婆還
　　在絮絮叨叨地說著陳年往事。

蕭母：修國！阿婆說的話你都聽得懂？

25　客語，指童養媳。
26　閩南語，意指「洗澡」。

修國：（笑答）完全聽不懂！

阿婆：（說起小時候的事情，蕭母同步翻譯給修國聽）民國十年我

七歲，有一天在田裡除草……（彎腰做起除草動作）

修國：（以不熟練的客語發問）阿婆！妳在做麼介？

阿婆：（客語）我在除草啊……

蕭母：（向修國解釋）她在種田！（見阿婆仍說個不停，以客語對

阿婆說）樹老根多，人老話多[28]……妳去睡覺啦！

△　阿婆糊里糊塗被蕭母哄去睡，欲進三合院內室。

修國：阿婆晚安！

阿婆：（耳背聽不清楚，突然回頭用普通話回修國）有有有，我吃

飽了……

△　佑珊自三合院內室上，她攙扶阿婆走進內室。蕭母抱

著棄嬰，在阿婆剛剛的竹凳上坐下。

佑珊：（對蕭母）阿姨，展雄打電話給妳。

△　蕭母起身，將棄嬰交給佑珊，自己拿起小竹凳欲走進

三合院內室接電話。進門前，又轉身吩咐修國。

蕭母：修國，等一下你幫我把小雲的行李拿進來。

△　修國應聲。蕭母走進三合院內室，下。

修國：展雄跟妳為什麼叫妳媽媽「阿姨」？

---

27 客家俗諺，形容人老了話就多，就像樹老了之後，樹根就會多到盤根錯
節。

佑珊：客家人的傳統，在屏東六堆大部分的客家人都叫媽媽「阿姨」。

修國：為什麼？

佑珊：聽老一輩的人說「比較好養」……

△　佑珊逗弄著嬰兒，欲將嬰兒抱給修國看，修國仍未做好面對小生命的心理準備，遲疑退開。他轉身走到一旁拿起小雲的行李，欲進三合院內室。

△　沉默，佑珊突然問修國。

佑珊：你大姐好像說你們家從青島帶著四個小孩上船？

△　修國一手拎著行李箱，一手拿著族譜，緩緩地對佑珊道出往事。隨著修國的敘述，場上漸轉為一片幽暗的紅光。

修國：我母親從老家帶出來四個小孩逃難，離開青島碼頭在大軍艦上，因為人太多，就悶死一個兩個月大的哥哥，叫李添才——當場我母親就把那個小孩丟到海裡去了。在離開海南島前一個禮拜，我另外一個大哥叫李海濱的，被炸死。一九五〇年五月，我大姐說，就剩下我母親、父親、大哥、大姐，一家四口到了基隆。一九五二年我二哥在基隆鐵路旁的違章建築公園街出生。五六年、五八年我跟我妹妹在中華路鐵路邊的違章建築出生……我母親是高齡產婦，生我妹妹的時候已經

四十五歲了，因為戰亂逃難，在大陸死了三個小孩，我母親在台灣堅持要把那死掉的三個孩子再生回來。

佑珊： 你二哥和你、你妹妹，怎麼都是在鐵路邊的違章建築出生？

修國： 我想是因為鐵路，離車站近……（頓了一會，解釋）一定是我爸這樣想，如果到了台灣還要再逃難，坐火車去碼頭，上船快！

佑珊：（感嘆地問）在台灣上了船，還能逃到哪裡？

△　修國、佑珊無語，燈光漸暗。

S14

還金簪

時間：

（Ａ）1973年3月7日，黃昏。

（Ｂ）1973年3月8日，早晨。

場景：

中華商場長廊。

角色：

（Ａ）愛民、母親、大姐、青年修國、修國。

（Ｂ）青年修國、修國、母親。

△　燈光漸亮，露出修國家門外的長廊，時間是1973年3月7日黃昏。愛民的身影出現在長廊另一角，他走至修國家門口，猶豫半晌，拉開木門，門內一片黑暗，母親的聲音自內傳出來，愛民緩緩退開。

母親：（OS）誰？……你找誰？

愛民：（對著門內唸出娘親和母親當年的訓詞）……狼走天下都吃肉，狗在家裡也轉圈……

△　母親的身影很快出現在門口，她不敢置信地看著愛民。

母親：說書的？

愛民：大姐！……全世界我最後一個想見的人，是您！

母親：（招呼愛民入內）進來！家裡說話……（愛民別過身，示意他不進去）

母親：（倚在門口，問）你哪一年來台灣的？

愛民：（背對母親，細數從頭。隨著愛民的敘述，場上隱約可聽見飛機起飛的引擎聲）一九五四年元月，我在韓國仁川港搭上二七六登陸艇，二十八號在基隆四號碼頭上岸，咱們那船有八百七十個弟兄。

母親：（左右張望，看可否有翠玉的身影）翠玉跟著你來了嗎！？

△　愛民沉默一陣，緩緩地自懷中掏出錦帕，拿出金簪子。

愛民：（問母親）大姐，您還記得這副金簪子嗎！？（母親急

忙走出門外，迎向愛民，壓抑著激動，緩緩接過愛民手中金簪）跟著翠玉二十年了，翠玉老說希望有一天還讓這副金簪子能回到大姐手上。

　△　母親拿著金簪子，沉默半晌。

母親：（悠悠地問）你一個人來到台灣？

愛民：（不正面回答問題）我跟著一萬四千個反共義士來到台灣。

母親：為什麼你到現在才來找俺！？

愛民：（轉向母親）門裡人不說門外話，拉起來咱們一家親——（遠處又傳來火車行進聲，愛民告訴母親）大姐，來台灣我有重要任務。我一直住在松山機場附近，每天紀錄空軍戰機起降訓練、戰機的編號、飛行員的背景都得詳細蒐集回報……

母親：（不解）啊？

愛民：（把話挑明）我是匪諜……後天有班飛機飛香港，我來跟您辭行。您可千萬別跟做鞋的說我來找過您。

　△　大姐自外上。

大姐：（見母親走出門外，又驚又喜。她望向愛民，好奇地問母親）媽！是誰呀！？

　△　母親難以解釋，愛民寬慰地走向大姐。

愛民：（摸大姐的頭）小嫚是吧！？（大姐禮貌性地點頭微笑。愛

民轉對母親，笑道）跟小時候一個模樣，結婚嫁了人還是那張臉。

母親：（問愛民）說書的，俺妹妹翠玉可安康？

△ 　大姐這才知道眼前的愛民就是當年那個加入共產黨的說書人，大為驚訝，開始警戒起來。

愛民：（無奈說道）死了。

母親：怎麼死的？

愛民：那年跟著我在北朝鮮勞軍，半夜為了拉野屎讓美軍給炸死了……沒天理！就為了一泡屎給炸了！

母親：（看著金簪，幽幽地問）翠玉和俺娘葬在老家？

愛民：（難啟齒地）部隊……不讓翠玉回老家。（母親聞言悲痛，頓足。愛民比劃著翠玉下葬時的情景）當天太陽剛冒出頭，有一個志願軍戰士，他是個伙侠兵，他遞給了我一塊長長的白布套說那是布棺材。白布套中間開條縫，一邊繫著帶子。我親手抱著翠玉把她裝進白布套，繫上帶子，找塊山坡地，就地掩埋了……（愛民泣不成聲）

母親：（拉著愛民）你再多說一點……

愛民：……朝鮮地下水位高，掘土挖坑才半尺就見水。

母親：（著急插嘴）翠玉怕水啊，你給她把水撥開啊……

愛民：我把布棺材裡的翠玉輕輕放進土坑把水撥了開，沒辦法啊！地下水撥不完啊！我趕緊一鏟一鏟土往上鋪蓋，沒多會兒堆出個不到半尺寬、兩米長的人形小土堆，墳前插塊小木條上面只寫了五個字「王翠玉之墓」就算完事了 ——（母親對愛民感到萬分不諒解，欲打愛民，大姐忙上前勸阻。愛民拉著母親的手，低頭哭泣）大姐！我是千個萬個對不起您和老娘親！

　△　母親哭著將金簪交給大姐。

母親：（交代大姐）妳收好……這是……（母親一語未完，泣不成聲，好一會她才止住眼淚，轉向愛民）

母親：（拉愛民站直）你站好……

　△　母親過於激動，一時體力不支，差點暈厥。大姐與愛民趕緊上前攙扶。

愛民：您也站好啊……

　△　母親指著愛民，心中情緒百感交集，接著突然狠狠地賞了愛民一巴掌。

母親：（對愛民）你欠俺娘親的一巴掌，今天俺可討回來了。

　△　愛民默默承受，母親抱住大姐哭泣。

愛民：（幽幽地復述母親的話）討回來了、討回來了……

　△　母親哭了半晌，突然想起什麼似的，吩咐愛民。

母親：你、你等俺——（轉向大姐）俺把繡花鞋、衣裳交給他，讓他帶回老家……（母親轉向內室走去，大姐在旁攙扶。母親不忘回頭叮嚀愛民）你別走啊！

△　母親往內室，下。青年修國出現在長廊另一端，朝愛民與大姐走來。修國跟在青年修國身後，上。他待在長廊一角遠遠旁觀，並不走近。

愛民：（吩咐大姐）小嫚！跟妳母親說，我明天再來找她。

△　愛民說完，逕自向外走去，大姐不知所措，趕緊衝進室內找母親。火車行進聲響起，愛民與青年修國擦身而過，青年修國不以為意，僅隨便點了個頭作為招呼。愛民，下。

△　青年修國仍好奇地在門口張望，修國上前指責青年修國。

修國：你錯過了剛才整件事，在你的記憶裡你完全不記得那個人。

青年修國：（不服氣地反駁）他剛走我怎麼會不記得？那個人說他明天會來找媽媽。

修國：修國！告訴我今天是一九七三年幾月幾號？

青年修國：（煩躁地走開）我不知道。

修國：（命令青年修國）進去看日曆！

青年修國：（反抗）你自己進去看！

修國：我進不去！（沉默半晌，緩緩說明）我不在這個空間裡。

△　青年修國忿忿地走進內室，稍頃，手上拿著一張日曆紙走出。

青年修國：（給修國看日曆紙上的日期）三月七號禮拜三！

△　火車行進聲響起，燈漸暗。

△　稍頃，燈光再亮，場上仍是修國、青年修國站在家門外，時空拉到1973年3月8日清晨。母親自內室緩緩拉開木門走上，她手裡拎著牛皮箱，在走廊失神地徘徊著。自愛民不告而別的第二天起，母親便每天都在長廊外等待愛民的出現。

修國：（看著母親，對青年修國敘述後來的發展）從三月七號第二天開始，媽媽終於跨出這個大門，在這個長長的走廊，來來回回走動。

青年修國：（看著母親，問修國）媽媽在等那個人？

修國：他沒有再出現過。

△　母親左右張望、來來回回走著。

青年修國：（遲疑地問）媽媽後來怎麼了？

修國：她一直等，每天等……等了十個月，一直到明年一月九號，我生日那天，媽媽生病住院了。

青年修國：（上前追問）生什麼病？

△　修國沉默。

修國：子宮癌。住院兩個月，那一陣子經常是我陪她去照鈷六十。（看著走向遠方的母親，緩緩道出）一直到明

年三月七號，媽媽過世了……

　△　青年修國沉默。

青年修國：（難以接受，將手上日曆紙揉成一團，向修國吼）修國！你

　　　　　　　走！

修國：修國！

青年修國：（憤怒指責修國）你不應該讓我知道未來！

修國：（安慰青年修國）你在現在！現在的你連明天會發生什

　　　　麼事你都不知道，你不需要難過。

青年修國：我不想知道媽媽什麼時候會死掉……！

　△　走廊的另一端，母親失神地拎著皮箱在長廊徘徊。

　△　一陣沉默後，修國出聲問青年修國。

修國：你愛媽媽嗎？

青年修國：（難以啟齒）我不想讓鄰居知道……我有個媽媽是神

　　　　　　　經病！

修國：你愛她嗎？！

青年修國：（看著長廊上失神的母親，遲疑半晌，勉強擠出幾個字）我不

　　　　　　　愛她！

　△　沉默。

修國：（斷然指責青年修國，吼）你說謊！（修國提醒青年修國）

　　　　在你小學三年級大姐出嫁前一天晚上，你問過媽

媽，你說（覆誦少年修國說過的話）「媽！妳有五個小孩，妳最疼哪一個？」──（修國沉痛地問青年修國）記得嗎！？（母親在走廊哼起呢喃的兒歌，修國伸出手，提醒青年修國母親當時的回答）媽媽伸出一雙手，她說──（修國學母親的山東話，哭著回答）「俺有十個手指頭，咬哪一個都痛啊！」

△　　修國要青年修國仔細聽母親唱的歌。

修國：聽！聽媽媽唱什麼歌？

青年修國：（看向母親，試圖跟著母親一起哼唱，頹然放棄）……聽不清楚！（對修國說）要回到我更小的時候，回到我五歲的時候……（青年修國指向家門）在那張床上，媽媽教過我，那時候我會唱。

△　　燈光轉暗，母親在長廊上失神地走著，嘴裡呢喃哼著〈清藍藍的河〉的旋律。場上灑進一片紅月光。

△　　燈漸暗。

S15

老家

時間：

1974年3月7日，黃昏。

場景：

修國家室內景。修國家的擺設彷彿如同他逐漸清晰的記憶，呈現完整的修國家全景，壁櫥陳列著各式各樣的戲靴，牆上貼滿各式電影小張海報與報紙。

角色：

李父、劉祕書、大姐、青年修國。

△　蒼涼的嗩吶音樂中，火車行進聲響起。

△　燈漸亮，李父、劉祕書、大姐、青年修國在場上。李父與劉祕書對坐在客廳桌前泡茶。修國蹲在一角，手裡拿著一雙戲靴，給戲靴刷上白膠漆。大姐坐在臥室內的床上，守著母親遺留下的舊皮箱，看著窗外發呆。

李父：（對劉祕書說）打基隆下船那天說兩三年就回去⋯⋯到今天，小嫚她媽媽走了，還住在這兒。二十四年了！老家回不去。

△　李父自嘲地笑了，劉祕書跟著大笑，聲音無限蒼涼。

劉祕書：（笑了一陣，安慰李父）《武松傳[29]》裡〈白虎庄[30]〉有一句不說明白了嗎？——（唸出快書中的一段文字）「太平之年文字貴，亂世之年武字強。皇上無道天下亂，刀兵四起民遭殃。」——（李父深表贊同。劉祕書回頭勸李父）咱們小老百姓求的是什麼？⋯⋯保住小命、穿衣吃飯、養活家小，就心滿意足了！

（李父與劉祕書再度相視而笑）

大姐：（在臥室內，突然出聲指責李父）我不該說什麼！楊小姐那件事對不起媽媽。

△　李父默默喝茶。

青年修國：（聞言跟著指責李父）大姐說了我也說⋯⋯我認為媽媽

28　山東快書裡最膾炙人口的全本曲目。
29　《武松傳》裡其中一個段子。

放棄追求自己幸福的權利，根本就是嫁錯人了！

△　沉默。青年修國低著頭，將戲靴放到客廳桌上。

劉祕書：（不顧李父阻止，對青年修國、大姐說明）**當著孩子面我把這事說清楚……小嫚、修國，你爸爸和楊小姐從來沒有牽扯！**

△　青年修國、大姐聞言訝異。李父只顧著檢查戲靴。

李父：（阻止劉祕書）你不用說了。

△　一片沉默中，李父緩緩地開了口。

李父：（自責地對劉祕書告解）民國二十年臘月結婚，俺對她不夠好，也沒讓她過上好日子，在台灣拉拔五個孩子都是她教養。結婚到現在四十三年了，俺始終有兩個字不冒出口……

劉祕書：（猜測那兩個字）「離婚」？

李父：（急忙澄清）俺沒講。

劉祕書：離了婚您就犯了這輩子最大的罪過。

李父：（對劉祕書宣告）至死俺也不願和她媽媽說──「離婚」。

△　火車行進聲響起，修國家室內閃爍著火車經過的光影。大姐起身，無言。青年修國亦靜靜地坐在閣樓小木梯下。

劉祕書：（走向青年修國）修國！（青年修國不願再聽大人說教，起身

欲走，劉祕書不放棄地追問）你爸爸一家子在海南島
逃難上船的樣子，你不曉得！？

青年修國：（走到門邊，沒好氣地頂嘴）一九五〇年我還沒出生嘛！

劉祕書：（笑，對青年修國描述當年的情景）在海南島的榆林港
啊⋯⋯

李父：（突然接過話，描述起當年逃難的親身經歷）在榆林港，一
艘十萬噸級的大軍艦，有兩層樓高⋯⋯

劉祕書：（呼應李父，語氣誇張）兩層樓高啊！

李父：碼頭上擠了五萬多個難民⋯⋯

劉祕書：（呼應李父）五萬多個！

李父：一家四口在碼頭邊⋯⋯

劉祕書：（補充說明）你爸、你媽帶著你大哥、大姐⋯⋯

李父：俺第一個就推著你媽媽，要她順著纜繩往上
爬⋯⋯

劉祕書：（呼應李父）你媽第一個！

李父：第二個推上你大哥。

劉祕書：（呼應李父）第二個——

　　△　劉祕書還來不及搭腔，大姐便在臥室內出聲澄清。

大姐：第二個是我。

劉祕書：（想了想，順勢呼應大姐）對！你是第二個。

李父：（糾正）不是，他大哥是第二個⋯⋯她大哥回頭用手
　　　拉著小嫚上船⋯⋯

大姐：（與李父爭辯）我在媽媽後面，回頭拉大哥上船！

劉祕書：（給大姐幫腔）大哥！你記錯了⋯⋯是小嫚回頭拉著
　　　她大哥上船的。

李父：（堅持，如數家珍地背出孩子的資料）他大哥十一歲，
　　　三十四公斤；她八歲，十八公斤，十八公斤怎麼
　　　拉的動三十四公斤？

劉祕書：（被說服，又為李父幫腔）對！小嫚妳拉不動妳哥，所
　　　以妳是第三個上船。

大姐：（急，堅持）我真的是第二個上船的。

劉祕書：

　　　（同聲糾正）妳是第三個！

李父：

　　△　三人爭執，一片混亂。

青年修國：到底是誰逃難！？

劉祕書：（回答青年修國）你爸爸！

　　△　眾人面面相覷，沉默。李父決定退讓。

李父：沒說的⋯⋯（向劉祕書）小嫚對了！她是第二個上船
　　　的。

劉祕書：（對李父的轉變感到詫異）啊？（趕緊順著李父的話安撫大

姐）妳第二個⋯⋯

李父：（李父繼續說著逃難的情況）三個人上了船。後邊共軍開了炮⋯⋯

劉祕書：（呼應李父的話，搶著描述）開炮了！你不知道那煙硝啊⋯⋯

李父：軍艦錨沒起就要往外開，俺慌了⋯⋯

劉祕書：（呼應李父）他慌了！

李父：俺還沒上船⋯⋯

劉祕書：（呼應李父）沒上船！

李父：看著船上你媽媽對著俺叫——（學母親的山東話）「做鞋的！你不上船俺就跳下來！」

劉祕書：（呼應李父）你媽她真敢往下跳啊！

李父：俺一想，俺今天不能死在碼頭上。那軍艦上邊是⋯⋯（李父指著遠方，彷彿看見當年逃難的畫面，哽咽著）是俺的妻、俺的兒女啊⋯⋯！（大姐感動得哭了起來。半晌，李父吸了一口氣，又說）當下！

劉祕書：（呼應李父）當時！

李父：（擺出架勢）俺往後退了兩步⋯⋯

劉祕書：（呼應李父）退兩步。

李父：一個勁朝軍艦蹦上去⋯⋯

劉祕書：（呼應李父）蹦上去！

李父： 兩層樓高啊！

劉祕書：（大喊，呼應李父）兩層樓高啊！

李父：（大動作，跑跳上船狀）登登登，不多不少就三步，俺上了船了！

△　青年修國聽到此時突然插嘴。

青年修國：（質疑）爸！你是李小龍啊！？

劉祕書：（為李父幫腔）孩子！說了你都不信！？

李父：（怒罵青年修國）進你娘的！

劉祕書： 我進……（本欲跟著李父罵，話說一半方覺不妥，趕忙改口）我敬佩你爸爸！

△　劉祕書握住李父的手，安慰他。

大姐：（突然從旁插嘴，哭著說）爸！我想起來了……我是第三個上船的！

△　李父與劉祕書啼笑皆非。

△　火車在軌道上的行進聲。

△　燈光漸暗。

尾聲

家譜

時間:

現在／回憶中的幻境。

場景:

修國家門口,修國家的木門矗立於場中央,與 s1 相同。

角色:

修國、佑珊／大姐／青年修國／母親、娘親、翠玉、轎夫甲、乙。

△　火車行進聲中，白紗幕上投影一段影片，內容為基隆碼頭、鐵道旁公園街、基北鐵道景物、台北車站、北門、中華路、南門，畫面實虛交錯彷彿是車窗外一幕幕的風景。大姐自舞台右側，提著母親的行李箱緩步向舞台左側走去。

△　燈漸亮，修國、佑珊站在門前。

△　白紗幕緩緩升起，投影結束。

修國： 我母親葬禮那天，我看著大姐打開那只泛黃的皮箱。從皮箱裡拿出當年我母親嫁給我父親穿的那套禮服和繡花鞋，大姐把那些衣物丟進金爐燒給母親。一邊燒一邊嘴裡還唸著——（修國學著大姐的山東話，哽咽地喊）「媽！回家囉！回家囉！」（修國回復平靜，對佑珊笑談）不像你們客家人講的那麼文雅——（客語）「轉原鄉」。

佑珊： 那些往事、歷史也許都是真的——畢竟那個時代已經結束了，你還在等什麼？（向前牽起修國的手，勸）修國，你還是要面對現實。難道你也要我和孩子陪著你吃苦受累！？

修國：（別過頭去）葬禮之後——

佑珊：（以為修國又要逃避，急道）你的心要靜！（堅定地要求）你要給我一個安定的生活。

修國：（走到一旁，繼續說著）葬禮之後，我問我父親，我說，「媽走了！您最大的遺憾是什麼？」我父親說——（學父親的山東話）「當初逃難就差一樣東西沒帶出來——家譜。」（修國拍拍手上的祭文，對佑珊說）一九五六年一月九號下午五點二十分，我離開了母親的子宮，接生婆割斷了母親和我之間的那條臍帶，現在妳站在我的面前，我們的孩子將要來到這個世界……（撫佑珊的臉，哭）我愛妳，我也愛這個孩子。我現在才搞懂，沒有家譜，追本溯源追不上去，也不必追了……我們家只要從一九五〇年五月一號踩在基隆碼頭的第一步算起，到今天，就是家譜了。

△　青年修國緩緩推開大門，上。

青年修國：（對修國）修國！媽媽唱的那首兒歌，我想起來了。

修國：（吩咐青年修國）你等一下！（將祭文給佑珊看）妳看。

佑珊：（接過祭文閱讀）這是誰的祭文？

修國：我大姐為我母親寫的祭文。

佑珊：（唸出祭文）母，雖天不假年，不幸棄世，然兒女皆已成長，瓜瓞綿綿枝葉繁茂。母，在天之靈必感欣慰。

修國：（牽起佑珊的手，用山東話接著念下去）天下無不散的筵席，老葉凋零，新枝萌芽，生生不息，自然定律。今天親友們齊聚悼念，心中縱有萬般不捨，也衷心祝願，母，重返理天，回歸自然。

△　青年修國從木門走出，木門景片緩緩撤至一旁。

△　河水潺流聲響起。

修國：（轉身和青年修國對話）修國！你會唱那首兒歌嗎！？

佑珊：（看不到青年修國，疑惑地問修國）你和誰講話？

修國：（對佑珊解釋）三十年前的我……（問青年修國）修國！你會唱嗎！？

△　母親的木床自舞台一角推上，一如修國記憶中的樣子，床上懸掛蚊帳，一角放著尿壺。

青年修國：不會。但是我回到我五歲小時候在中華商場了，我看見媽媽在那張床上教我唱兒歌的畫面……（青年修國哽咽起來）

△　遠處傳來轎夫的聲音。

轎夫甲：（OS）來！

阿婆：（OS）來噯！

轎夫甲：（OS）起！

阿婆：（OS）起噯！

△　〈清藍藍的河〉前奏響起，轎夫甲、乙抬著一頂轎子，

自舞台左側上。

△　母親坐在花轎內，唱起〈清藍藍的河〉。

母親：（唱）「清藍藍的河呀，曲曲又彎彎，綠盈盈的草地
望不著邊，鴛鴦呱呱叫呀，牛羊跑得歡。這是俺
家鄉的水來，這是俺家的園。哎咳哎哎得兒哎咳
喲哎得噥哎喲，誰不說俺家鄉好，就像那長流水
呀，奔騰永向前。哎咳哎哎得兒哎咳喲哎得噥哎
喲，誰不說俺家鄉好，就像那長青樹呀，高高入
雲端。」

△　轎夫落轎，下。娘親拉開修國家的木門，上。母親身
穿大紅嫁衣、蓋著紅蓋頭，從花轎內走出，她揭開蓋
頭，羞報地看著娘親微笑，娘親為母親整理衣裝。同
時，大姐走上前來，無限感懷地看著眼前這一幕。

△　歌曲唱至後半段，母親走至床邊坐下，慢條斯理地脫
掉腳上的繡花鞋。女學生裝扮的翠玉自舞台右側一角
上，她上前拉著娘親的手，兩人欣喜地看著母親。母
親坐在床上，給自己蓋上紅蓋頭。

△　場上轉為一片紅光。

△　舞台左側，大姐打開牛皮箱，拿出一模一樣的大紅嫁
衣，高高舉著。舞台一角推上一金爐，內有火光閃爍。

大姐：（將嫁衣、繡花鞋丟入金爐，哭著，以山東話聲聲呼喚）媽！
回家囉！回家囉……

△　大姐的悲泣聲與母親裊繞的歌聲重疊在一起，母親坐
在床上，微笑地揭開紅蓋頭一角，眼神充滿對生命的
期望。

△　燈漸暗，白紗幕降。

△　白紗幕上投影以下字幕：
「女兒紅　Wedding Memories」
「一段尋找生命安定的旅程」
「僅以女兒紅」
「獻給這島國上　無怨無悔無名的　母親」

△　大幕落。

——全劇終——

附錄

關於李國修

Hugh K.S. Lee（1955.12.30～）

生平與創作

李國修集劇團創辦人與經營者、劇作家、導演、演員於一身，第一屆國家文化藝術基金會文藝獎戲劇類得主及多項戲劇獲獎紀錄。迄今原創編導三十齣叫好又叫座的大型舞台劇。而個人演出超過百種角色，舞台表演逾千場，是當代華人劇壇深具成就的全方位戲劇藝術家。

祖籍山東萊陽的李國修，1955年生於台北市中華路鐵道旁違章建築，成長於西門町的中華商場，畢業於世界新專廣播電視科。1980年加入「蘭陵劇坊」受到吳靜吉博士的啟發，獲得劇場養分，並因參與電視節目《綜藝100》短劇演出，在1982年獲「第十七屆金鐘獎最具潛力戲劇演員獎」，進而成為家喻戶曉的喜劇演員。1986年成立「屏風表演班」，一路堅持原創，搬演台灣這片土地上的生命故事，使屏風成為華人地區重要的演出團隊。

李國修認為劇作家是靠著生命、情感和記憶來創作。因此,他身為外省第二代、以戰後兩岸分隔的歷史事實,為父執輩編導出關於老兵對家鄉思念的故事《西出陽關》,並以劇中「老齊」一角,被媒體評譽為「最接近卓別林高度的演出」。

引發台灣劇評讚譽最多的《京戲啟示錄》,是李國修為自己做京戲戲鞋的父親而寫。李父家訓「人,一輩子能做好一件事情,就功德圓滿了。」更成為李國修的座右銘。戲劇專家評譽「李國修以個人生命經驗,觸動集體記憶之海」、「《京戲啟示錄》可說是有如神助,場面調度在這齣戲裡靈活到了極點」、「它亦喜亦悲,悲喜交迸,充盈著時代風雨與人生際遇,蘊蓄著歷史厚度與生活實感」;「《京戲啟示錄》最明顯的符號就是戲鞋和中華商場,這對新一代的我們來說,已經成為一種文化遺產」等。此劇啟發無數觀眾對人生追求的意義,成為華人劇壇的榮耀之作。

李國修從尋根到定根,繼而為母親創作《女兒紅》,表達對母親的追憶,也是他對個人的生命旅程與家族歷史,做的一場最深沈告白。影評人聞天祥稱李國修是用舞台說故事的大師,能把家庭點滴化為時代縮影,跨越了性別的侷限,展現炫目的時空魔法以及永不嫌多的情感與寬容。李國修也為兒子創作魔術奇幻劇《鬆緊地帶》、為女兒創作《六義幫》等。

李國修並不是一個有特定風格、特定形式的編劇,他喜歡用不同的體裁、不同的形式來創作,每個作品都以不同的

主題進行探索。如他創作的「風屏三部曲」系列《半里長城》、《莎姆雷特》、《京戲啟示錄》,藉戲中戲的形式,探究劇場與人生之間的微妙關係。國際作家陳玉慧分析,李國修擅長解構主義,能將台灣社會現象及小市民心理,處理成悲喜交加的戲劇文本,也是台灣劇場創作者中最精闢於解構之道的人。

李國修也針對時事,以戲劇角度反映社會現象,如《救國株式會社》、《三人行不行I~V》城市喜劇系列。而對現代男女複雜的情愛關係,他也提出獨特的戲劇手法予以詮釋,台灣戲劇學者于善祿稱譽李國修的《婚外信行為》比英國劇作家哈洛品特(Harold Pinter,1930-2008)的《情人》還要深沈,藝術技巧更高超。

為向莎士比亞致敬,李國修將經典悲劇《哈姆雷特》改編成爆笑喜劇《莎姆雷特》。台灣莎士比亞學權威彭鏡禧教授評譽:「李國修用他縝密的頭腦,幾乎是以數學概念在精算《莎姆雷特》每個場次的角色上下進出,將一齣大悲劇顛覆成喜劇,這當中的編劇技巧相當高超。」而改編自陳玉慧原著小說的《徵婚啟事》,探討都會女性的婚姻態度,也挖掘現代男人的寂寞,李國修更在台上一人分飾二十個應徵男子,挑戰表演的極限;此外,李國修也以眷村故事探討庶民記憶,改編原著張大春小說的《我妹妹》,並入選為中國時報年度十大表演藝術。

李國修認為,在這無限想像的劇場黑盒子裡「空間不存在、時間無意義」,他也認為劇場是造夢的場域,因而在許多

作品裡，李國修讓觀眾對舞台空間有嶄新的視覺體驗。1994年《西出陽關》舞台上呈現磅礡大雨的視覺特效；2002年《北極之光》的雪地極光幻化場面；2003年《女兒紅》百位演員同台、爆破場面震撼人心；2005年《好色奇男子》三千顆燈泡，營造萬點星光搖曳生輝的壯闊場景；2008年《六義幫》全劇超過五十個場次、一百一十五個角色，全場不暗燈，舞台呈現電影蒙太奇般的場景流動。

此外，李國修的戲劇文本繁複巧妙，不但角色人物面貌多端，而情節內容更是幾條主線同時進行，最後在重疊相交時，戲劇張力便達到不可預期之最高潮。所以，李國修獨特的舞台劇風格，總能在觀眾笑聲中抓緊時代脈搏，在娛樂中顯現省思的功能。

李國修對劇場的熱情不僅止於反應在屏風表演班的作品上，他對於提攜演員，更是不遺餘力。其中表現傑出的有：郭子乾（第卅八屆金鐘獎最佳主持人）、曾國城（第四十一屆金鐘獎最佳主持人）、楊麗音（第四十一屆金鐘獎最佳女主角）、林美秀（第四十六屆金鐘獎迷你劇集最佳女主角）、樊光耀（第四十屆金鐘獎單元劇最佳男主角）、萬芳（第卅九屆金鐘獎最佳女主角）、黃嘉千（第四十四屆金鐘獎最佳女配角）等，這不僅使李國修成為金鐘獎頒獎典禮上，最多得獎者感謝的對象外，更讓「屏風表演班」等於「屏風鍍金班」的名號不脛而走。

近年來，李國修致力深耕表演藝術，曾至台北藝術大學、台灣大學、靜宜大學、台南大學開設專業戲劇課程，也受

邀至政治大學、中山大學、成功大學、東華大學、海洋大學、世新大學、清雲科技大學等校擔任駐校藝術家，並走訪各地進行超過千場以上的表演藝術講座。

　　李國修的作品記錄台灣環境的變遷與時代流轉，為這片土地留下了豐富的戲劇人文面貌。他以戲劇表達對生活的態度、生命的情感，亦期待觀賞者能從中獲得自我省思，這即是李國修致力推動的劇場理念 ——「看戲修心，演戲修行」。

重要獲獎記錄

　　1997年，獲頒「第一屆國家文化藝術基金會文藝獎戲劇類」得主。

　　1997年，以《三人行不行》系列劇本創作獲頒「第三屆巫永福文學獎」。

　　1999年，由紐約市文化局、林肯中心、美華藝術協會共同頒予「第十九屆亞洲傑出藝人金獎」。

　　2006年，由台北市文化局頒予「第十屆台北文化獎」。

　　2011年，以《京戲啟示錄》劇本創作獲頒「第卅四屆吳三連文學獎戲劇劇本類」得主。

　　2012年，由上海現代戲劇谷「壹戲劇大賞」頒予「戲劇精神傳承獎」。

其他出版作品

2004年，《人生鳥鳥》，台北：未來書城。

2011年，與妻子王月共同出版《119父母》，台北：平安出版社。

屏風表演班
一個台灣的藝術奇蹟

　　1986年10月6日，當時家喻戶曉的電視喜劇演員李國修，因早年出身劇場仍不忘對舞台的熱愛，藉「一群戲子伶人，無處不劇場，甚以屏風界分為台前台後，都可經由台上的演出，反映台下的生活」為草創理念，成立了屏風表演班。團長李國修將自家位於台北景美十坪地下室的房間作為排練場，在狹小空間裡，演員常常走位時，不小心走上了床，踩上了書桌……

　　屏風表演班第一個創團作品《1812＆某種演出》就是在這種拮据的環境下排練出來的。這齣戲在演出結束後，只有七十六個人留下了他們的資料，成為第一批的屏風之友。回首廿餘年漫長的劇場路，屏風之友的人數已逾十五萬人次，觀賞過屏風作品的觀眾，更是已超過一百四十二萬人次。

屏風作品的多元特色

　　屏風表演班共發表四十回作品，演出類型涵蓋喜劇、悲劇、或融合傳統京劇、流行歌舞、魔術科幻等戲劇形式，呈現

多元風貌；關懷層面遍及人際關係、歷史探索、老兵議題、政治情勢、民生現況、家庭情感等生活息息相關的社會議題。

在藝術總監李國修的帶領下，屏風的作品富有嚴謹的結構與解構手法、多重時空的跳躍敘事、演員一人分飾多角表演的豐富性，以及講究多變佈景的舞台美學等，造就屏風作品呈現不同於其他劇團演出形式的最大特色。

此外，屏風表演班並有「系列作品」的創建，其中包括《三人行不行》I～V城市系列作品；風屏劇團三部曲《半里長城》、《莎姆雷特》、《京戲啟示錄》；以及社會議題系列《民國76備忘錄》、《民國78備忘錄》、《西出陽關》、《救國株式會社》；家變系列《黑夜白賊》、《也無風也無雨》、《我妹妹》；兩性關懷系列：《徵婚啟事》、《未曾相識》、《婚外信行為》、《昨夜星辰》；台灣成長系列《港都又落雨》、《蟬》、《北極之光》、《六義幫》等。

而為長期營運的考量之下，屏風規劃每五年為一期，推出屏風「定目劇」的定期巡演。將屏風歷年叫好叫座的好戲，每隔五年，重新賦予新意，讓未曾看過屏風作品的觀眾感受經典的魅力，也讓看過的朋友再次感動回味。1988年首演的《西出陽關》於1994年重製演出，是屏風表演班第一齣以定目劇形式巡演的經典劇碼。

劇場永續經營的先行者

屏風表演班以建制全職專業劇團為目標，以永續經營為理念，以推廣表演藝術為己任。在藝術總監李國修的堅持下，每年至少推出兩部作品，內容為全新創作或定目劇經典再現。維持團務常態性運作和製作新戲的經費，百分之九十二來自票房收入，其他由文化部、國家文化藝術基金會、各縣市文化局處等的贊助。屏風已是台灣少數能「以戲養戲」自食其力的劇團。

為促進藝術交流多元化，屏風表演班於1996年首創民間劇團主辦演劇祭，連辦五屆（1996~2001年）獨立出資邀請香港進念・二十面體、新加坡必要劇場、日本Pappa TARAHUMARA劇團等抵台演出，同時也提供演出經費給予有潛力的國內表演團體（如：莎士比亞的妹妹們的劇團、台北曲藝團、神色舞形舞團等）。一方面活絡台灣表演藝術環境，另一方面，亦促成對國際藝文交流的貢獻。

除各城市劇場的大型演出之外，屏風也不定期舉辦各種與戲劇相關的活動，致力藝文推廣。2007年開始，以「小戲大作」之概念，將歷年受歡迎的經典小劇場劇碼，推行至各大校園、機關團體與公司行號，在各地常態性巡演。爾後，更精緻化推出「藝饗巴士」專案系列活動，結合演講、表演課程、藝術行銷講座、劇場幕後導覽等戲劇延伸活動，建構大眾與藝術之間的互動橋樑。

屏風出品，台灣驕傲

全球化來臨的時代，屏風堅信「local is global」的概念，以心用情寫台灣這塊土地上的人事景物情，在作品中反應社會現象，掌握城市脈動，以台灣人的觀點與創意來詮釋這個世界，讓屏風的作品更兼具現代與本土兩種特色，成為華人地區重要的演出團隊。

第十七回作品《救國株式會社》受邀前往紐約，屏風於1992年初次踏上世界舞台，在僑界掀起一陣狂瀾；1994年《莎姆雷特》應上海現代人劇社邀請參加「一九九四上海第二屆國際莎劇節」，成為台灣第一個在大陸登台的現代劇團；1995年《半里長城》與洛杉磯華人戲劇社團「伶倫劇坊」合作，這是第一個在台美兩地同步演出的劇目。

1996年《莎姆雷特》受邀至世界五大古蹟劇場之一的加拿大多倫多「安省國家劇院」演出，成為第一個登陸加國的台灣劇團；同年，《半里長城》再受香港市政局主辦之「第十六屆亞洲藝術節」邀請，在香港大會堂演出，亦是台灣第一個受邀的現代戲劇團體；2007年，《莎姆雷特》受邀至大陸，參與「第七屆相約北京」演出，票房一掃而空，並獲演出謝幕時，現場全體觀眾起立鼓掌八分半鐘的成績。

2008年初，屏風應北京國家大劇院「開幕國際演出季」之邀請，再度前往演出《莎姆雷特》，成為該院第一個受邀演出

的台灣現代戲劇團體。2010年應上海世博「兩岸城市藝術節－臺北文化周」邀請，以《三人行不行》締造謝幕時全場起立鼓掌長達五分五十八秒記錄，旋即趕赴北京參與「2010京台文化節」巡迴演出。2011年12月，《京戲啟示錄》首度在上海演出，令台下觀眾無一不受其巨大震撼與感動。

2010年11月，屏風表演班改編魯凱族「巴冷傳說」浪漫優美的人蛇戀愛情神話，為「2010臺北國際花卉博覽會定目劇」打造原創魔幻歌舞秀《百合戀》，動員百人，建構台灣第一座升降式水舞台（寬十米、深九米），瞬間轉換地面及湖水場景，不禁令人歎為觀止。《百合戀》連演一百九十六場，創下全台三十萬人次觀賞記錄，成績斐然！

放眼過去，屏風從觀眾席只有一百個座位的小劇場，走上現今的世界舞台，成為台灣當代最具代表性的現代戲劇團體之一，不容忽視的是，屏風作品不僅堅持「台灣製造」，並具有原創性、娛樂性與藝術性，可謂「屏風出品，台灣驕傲」！

時至今日（2013年3月），屏風表演班已陸續完成1,692場次的演出，歷年作品巡迴超過海內外二十二個城市，觀眾人數累積至1,427,782位，這是個驚人的紀錄。在藝文環境未臻成熟的台灣，屏風表演班仍能在作品裡持續展現高度藝術成就與穩定的票房收入，這絕對是一個「台灣的藝術奇蹟」！

李國修戲劇作品集與屏風表演班作品關係表

李國修 戲劇作品集 出版序號	創作 年份	書名/劇名
01	1989	《半里長城》
02	1992	《莎姆雷特》
03	1996	《京戲啟示錄》
04	2003	《女兒紅》
05	1987	《三人行不行Ⅰ》
06	1988	《三人行不行Ⅱ─城市之慌》
07	1993	《三人行不行Ⅲ─OH！三岔口》
08	1997	《三人行不行Ⅳ─長期玩命》
09	1999	《三人行不行Ⅴ─空城狀態》
10	1987	《婚前信行為》
11	1988	《民國76備忘錄》
12	1988	《西出陽關》
13	1988	《沒有我的戲》
14	1989	《民國78備忘錄》
15	1990	《港都又落雨》
16	1991	《救國株式會社》
17	1991	《鬆緊地帶》
18	1991	《蟬》
19	1993	《徵婚啟事》
20	1994	《太平天國》
21	1997	《未曾相識》
22	1999	《我妹妹》
23	2001	《婚外信行為》
24	2002	《北極之光》
25	2005	《好色奇男子》
26	2005	《昨夜星辰》
27	2008	《六義幫》

英文譯名	屏風表演班演出序號
The Half Mile of The Great Wall	第十一回作品
Shamlet	第廿回作品
Apocalypse of Beijing Opera	第廿五回作品
Wedding Memories	第卅四回作品
Part I of Can Three Make It：Not Only You And Me	第三回作品
Part II of Can Three Make It：City Panic	第九回作品
Part III of Can Three Make It：Oh! Three Diverged Paths	第廿一回作品
Part IV of Can Three Make It：Play Hard	第廿七回作品
Part V of Can Three Make It：Empty City	第廿九回作品
Premarital Trust	第二回作品
Memorandum of 1987, Republic of China	第五回作品
Far Away from Home	第六回作品
A Play Without Me	第七回作品
Memorandum of 1989, Republic of China	第十三回作品
Rainy Days in Port City, Again	第十五回作品 暨高雄分團創團作品
Nation Rescue LTD.	第十七回作品
The Twilight Zone—Back to Tang Dynasty	第十八回作品
Cicada	第十九回作品
The Classified	第廿二回作品
The Kingdom of Paradise	第廿三回作品
Are You The One	第廿六回作品
My Kid Sister	第卅回作品
Extra-Marital Correspondence	第卅一回作品
The Aurora Borealis	第卅三回作品
Legend of a lecher	第卅五回作品
Last Night When The Stars Were Bright	第卅六回作品
Stand by Me	第卅八回作品

女兒紅

發行人	李國修
作者	李國修
責任編輯	林佳鋒
美術編輯	北士設計
文字編輯	謝佳純／洪子薇
文字校對	黃毓棠／黃致凱
美術執行	吳宜珊
出版	印刻文學生活雜誌出版有限公司｜INK Literary Monthly Publishing Co., Ltd. 23586新北市中和區中正路800號13F-3 Tel 02-2228-1626　Fax 02-2228-1598 http://www.sudu.cc　ink.book@msa.hinet.net
印刷	海王印刷事業股份有限公司
發行	成陽出版股份有限公司 Tel 03-358-9000　Fax 03-355-6521 郵政劃撥 19000691　戶名 成陽出版股份有限公司
港澳總經銷	泛華發行代理有限公司 香港筲箕灣東旺道3號星島新聞集團大廈3樓 Tel 852-2798-2220　Fax 852-2796-5471 http://www.gccd.com.hk
出版日期	2013年5月 初版
定價	NT$ 200

屏風表演班 Ping-Fong Acting Troupe
11661 台北市文山區興隆路四段111號B1
B1,No111,Hsing-Lung Rd.Sec.4,Taipei City 11661,Taiwan
Tel 02-2938-2005　Fax 02-2937-7006
http://www.pingfong.com.tw　pingfong@pingfong.com.tw

國家圖書館出版品預行編目資料

女兒紅／李國修 著
初版－－新北市：INK印刻文學：2013.05
192 面；14.8×21 公分--（李國修戲劇作品集；4）
ISBN 978-986-5933-68-5（平裝）
854.6　　　　　　　　　　　102003869